Piaget, Vigotski, Wallon

CIP-BRASIL. CATALOGAÇÃO NA FONTE
SINDICATO NACIONAL DOS EDITORES DE LIVROS, RJ

T138p

Taille, Yves de La
Piaget, Vigotski, Wallon : teorias psicogenéticas em discussão / Yves de La Taille, Marta Kohl de Oliveira, Heloysa Dantas. - São Paulo : Summus, 2019.

176 p.

Inclui bibliografia
ISBN 978-85-323-1126-9

1. Piaget, Jean, 1896-1980. 2. Vigotsky, L. S. (Lev Semenovich), 1896-1934. 3. Wallon, Henri, 1879-1962. 4. Genética do comportamento. 5. Psicologia genética. I. Oliveira, Marta Kohl de. II. Dantas, Heloysa. III. Título.

19-55219 CDD: 155.7
CDU: 159.922

Meri Gleice Rodrigues de Souza - Bibliotecária CRB-7/6439

Compre em lugar de fotocopiar.
Cada real que você dá por um livro recompensa seus autores
e os convida a produzir mais sobre o tema;
incentiva seus editores a encomendar, traduzir e publicar
outras obras sobre o assunto;
e paga aos livreiros por estocar e levar até você livros
para a sua informação e o seu entretenimento.
Cada real que você dá pela fotocópia não autorizada de um livro
financia o crime
e ajuda a matar a produção intelectual de seu país.

Piaget, Vigotski, Wallon

Teorias psicogenéticas em discussão

YVES DE LA TAILLE
MARTA KOHL DE OLIVEIRA
HELOYSA DANTAS

summus
editorial

PIAGET, VIGOTSKI, WALLON
Teorias psicogenéticas em discussão
Copyright © 1992, 2019 by autores
Direitos desta edição reservados por Summus Editorial

Editora executiva: **Soraia Bini Cury**
Assistente editorial: **Michelle Campos**
Capa: **Renata Buono**
Projeto gráfico: **Crayon Editorial**
Diagramação: **Santana**

6ª reimpressão, 2025

Summus Editorial
Departamento editorial
Rua Itapicuru, 613 – 7º andar
05006-000 – São Paulo – SP
Fone: (11) 3872-3322
http://www.summus.com.br
e-mail:summus@summus.com.br

Atendimento ao consumidor
Summus Editorial
Fone: (11) 3865-9890

Vendas por atacado
Fone: (11) 3873-8638
e-mail: vendas@summus.com.br

Impresso no Brasil

Sumário

Apresentação à nova edição 7

Apresentação 9

Parte I – Fatores biológicos e sociais 13

1 O lugar da interação social na
concepção de Jean Piaget 15
Yves de La Taille

2 Vigotski e o processo de formação de conceitos . . . 33
Marta Kohl de Oliveira

3 Do ato motor ao ato mental: a gênese
da inteligência segundo Wallon 53
Heloysa Dantas

Parte II – Afetividade e cognição 69

4 Desenvolvimento do juízo moral e afetividade
na teoria de Jean Piaget 71
Yves de La Taille

5 O problema da afetividade em Vigotski 115
Marta Kohl de Oliveira

6 A afetividade e a construção do sujeito
na psicogenética de Wallon 131
Heloysa Dantas

Apêndice – Três perguntas a vigotskianos,
wallonianos e piagetianos 153
Yves de La Taille, Heloysa Dantas, Marta Kohl de Oliveira

Apresentação à nova edição

Quando *Piaget, Vigotski*[1]*, Wallon* foi lançado, em 1992, imediatamente recebeu reconhecimento de público e crítica. Ao reunir duas grandes professoras da área da educação e um professor da área da psicologia, o livro veio ao encontro do anseio de pesquisadores e alunos das áreas de pedagogia e psicologia. Hoje, quase 30 anos depois da primeira edição, pode-se dizer que a obra se tornou um clássico. Adotada em centenas de cursos no Brasil inteiro, ela continua se destacando pela riqueza de conteúdo e pela grande contribuição à educação e à psicologia que produziu ao esclarecer as ligações entre as teorias psicogenéticas e a afetividade.

---

1. Em russo, as letras ii que aparecem na primeira e na última sílabas do nome Vigotski são diferentes entre si; com grafia e som diversos, não encontram uma correspondência exata em línguas ocidentais. Ao fazer a transliteração do alfabeto cirílico para o latino, cada tradução optou por uma grafia diferente. Quando a presente obra foi originalmente publicada, em 1992, a grafia predominante no Brasil era Vygotsky, pois suas primeiras obras publicadas aqui foram traduzidas de edições norte-americanas. Atualmente, a grafia mais aceita em português é Vigotski, e por isso optamos por alterá-la a partir desta edição. No caso de citações bibliográficas, porém, mantivemos a grafia particular usada em cada obra. [N. E.]

Numa época em que as instituições ditas democráticas se veem seriamente ameaçadas; em que a aquisição de conhecimentos é sobrepujada pelo imediatismo; em que as teorias já consagradas em várias áreas sofrem constantes golpes, este livro que o leitor tem em mãos é um verdadeiro bilhete para o caminho do senso crítico e da liberdade.

Esperamos, pois, que antigos leitores voltem a mergulhar nestas páginas, e que toda uma nova geração possa se beneficiar das ideias de Yves de La Taille, Marta Kohl de Oliveira e Heloysa Dantas.

Os editores

Apresentação

Este livro é resultado de dois anos consecutivos (1989-1990) de participação nas reuniões anuais da Sociedade de Psicologia de Ribeirão Preto, agora Sociedade Brasileira de Psicologia (SBP). Somos devedores de Maria Clotilde Rossetti Ferreira, professora titular da Faculdade de Filosofia, Ciências e Letras da USP de Ribeirão Preto, pela ideia de publicar o conteúdo dos cursos e mesas-redondas que realizamos nessas reuniões.

A receptividade que os temas apresentados encontraram deve ser interpretada como um indicador seguro da necessidade que havia de abordá-los, tanto no plano da teoria quanto no do embasamento da práxis pedagógica. Ela sinaliza também um processo de filtragem, que vem conferindo à psicogenética um lugar de destaque cada vez maior. Estudar as funções psíquicas à luz de sua gênese e evolução vem dando frutos muito ricos: aqueles que decorreram da teoria piagetiana, que tem se mostrado capaz de absorver as concepções cognitivistas não genéticas, o demonstram à saciedade. Seu avanço, no entanto, requer fazê-la entrar em diálogo com interlocutores de peso: daí a escolha de Vigotski e Wallon, que vêm cumprindo essa função ativadora e dinamogênica.

O confronto, em profundidade, desses três pontos de vista pode colocar o investigador na chamada "zona crítica" da ciência psicológica, nos seus confins, região onde se travam as polêmicas e se geram os avanços. Nesse sentido, o interesse pelo diálogo entre eles representa a utilização de uma das duas formas possíveis de progresso em ciência, aquela que alterna seus efeitos com os que procedem da confrontação com os dados. Confrontam-se teorias com fatos, ou teorias com teorias.

Essa última talvez seja a única forma possível de evolução para um sistema da solidez do piagetiano, que corre o risco de imobilizar-se, vítima de sua própria hegemonia. Esse papel de confrontação teórica tem sido cumprido, nos últimos anos, pelas ideias de Vigotski, em sua instigante abordagem sobre a dimensão social no desenvolvimento psicológico.

Outro tipo de necessidade presidiu a escolha dos temas. Os educadores pedem que as teorias psicológicas expliquem o funcionamento da inteligência e da afetividade, mas disso elas não têm dado conta. No cenário atual, a psicanálise e a psicogenética construtivista vêm dividindo essa tarefa, o que tornou aquelas dimensões paralelas e exteriores. A demanda reflete então o desejo – muito justificado – de pedir à psicogenética, aquela mais próxima da teoria acadêmica e da práxis pedagógica, que dê solução a esse impasse. Daí o acerto de incluir a perspectiva walloniana, que tem uma contribuição específica para esse tema.

Em suma, a escolha dos autores reflete a necessidade de fazer amadurecer, pelo confronto, a psicologia genética; a seleção dos assuntos, a integração, em benefício tanto da teoria quanto da prática, do estudo dos dois grandes eixos da pessoa. Nossa contribuição foi a de aproximá-los; ao leitor cabe a tarefa de instaurar o diálogo entre eles.

Os autores

Parte I
Fatores biológicos e sociais

1
O lugar da interação social na concepção de Jean Piaget

YVES DE LA TAILLE

Em seu livro *Biologie et connaissance*, Piaget escreveu que "a inteligência humana somente se desenvolve no indivíduo em função de interações sociais que são, em geral, demasiadamente negligenciadas".[1] Tal afirmação, num livro cujo título resume o tema central da obra do autor, talvez cause estranheza em alguns leitores, pois, como é notório, Piaget costuma ser criticado justamente por "desprezar" o papel dos fatores sociais no desenvolvimento humano. Todavia, nada seria mais injusto do que acreditar que tal desprezo realmente existiu. O máximo que se pode dizer é que, de fato, Piaget não se deteve longamente sobre a questão, contentando-se em situar as influências e determinações da interação social sobre o desenvolvimento da inteligência. Em compensação, as poucas balizas que colocou nessa área são de suma

---

1. PIAGET, J. *Biologie et connaissance*. Paris: 1967, p. 314. [Em português: *Biologia e conhecimento: ensaio sobre as relações entre as regulações orgânicas e os processos cognoscitivos*. Petrópolis: Vozes, 1973.]

importância, não somente para sua teoria como também para o tema.

A fim de introduzir a questão, analisemos a seguinte afirmação: *o homem é um ser essencialmente social, impossível, portanto, de ser pensado fora do contexto da sociedade em que nasce e vive. Em outras palavras, o homem não social, o homem considerado molécula isolada do resto de seus semelhantes, o homem visto como independente das influências dos diversos grupos que frequenta, o homem visto como imune aos legados da história e da tradição, este homem simplesmente não existe.* Tal postulado, segundo o qual o homem é, como dizia Wallon, *geneticamente social*, vale para a teoria de Piaget. Escreve ele:

> Se tomarmos a noção do social nos diferentes sentidos do termo, isto é, englobando tanto as tendências hereditárias que nos levam à vida em comum e à imitação como as relações "exteriores" (no sentido de Durkheim) dos indivíduos entre eles, não se pode negar que, desde o nascimento, o desenvolvimento intelectual é, simultaneamente, obra da sociedade e do indivíduo.[2]

Todavia, como escreve Piaget em seguida, tal postulado é demasiadamente amplo e, por conseguinte, vago. Uma interpretação possível seria afirmar que o porvir da razão individual é erguer-se acima dessa base social comum, de lhe ser superior. Outra seria pensar que, no seu desenvolvimento, a razão é incessantemente esculpida pelas diversas determina-

---

2. PIAGET, J. *Études sociologiques*. Genebra/Paris: Droz, 1977, p. 242. [Em português: *Estudos sociológicos*. Rio de Janeiro: Forense, 1973.]

ções sociais. Em suma, afirmar que o homem é ser social ainda não significa optar por uma teoria que explique como esse "social" interfere no desenvolvimento e nas capacidades da inteligência humana. O equacionamento que Piaget dá a essa questão passa por dois momentos. O primeiro: definir de forma mais precisa o que se deve entender por "ser social". O segundo: verificar como os fatores sociais comparecem para explicar o desenvolvimento intelectual.

O HOMEM COMO SER SOCIAL

Escreve Piaget: "O homem normal não é social da mesma maneira aos 6 meses ou aos 20 anos de idade, e, por conseguinte, sua individualidade não pode ser da mesma qualidade nesses dois diferentes níveis".[3]

Para melhor compreender essa afirmação, vamos ver como Piaget define em que sentido um adulto é social. Seu critério é a qualidade da "troca intelectual" entre dois indivíduos a e a'. O grau ótimo de socialização se dá quando tal troca atinge o equilíbrio. Uma equação permite descrever tal equilíbrio:

$$(Ra = Sa') + (Sa' = Ta') + (Ta' = Va) = (Ra = Va)$$

em que:

Ra = ação de a exercida sobre a' (Ra', a recíproca).

Sa' = satisfação (positiva, negativa ou nula) sentida por a' em função da ação de a (Sa, a recíproca).

---

3. *Ibidem*, p. 242.

Ta' = dívida de *a'* em relação a *a* em função da ação precedente Ra (Ta, a recíproca).

Va = valor virtual para *a*, correspondendo à dívida Ta'.

Piaget explica como aplicar essa equação às trocas intelectuais:

1. O indivíduo *a* enuncia uma proposição Ra (verdadeira ou falsa em graus diversos); 2. O interlocutor *a'* está de acordo (ou não, em graus diversos), este acordo é designado por Sa'; 3. O acordo (ou o desacordo) de *a'* o liga para a sequência das trocas entre *a'* e *a*, donde Ta'; 4. Esse engajamento de *a'* confere à proposição Ra um valor Va (positivo ou negativo) no que tange às trocas futuras desses mesmos indivíduos.[4]

Imaginemos este pequeno diálogo entre *a* e *a'*:

a – Na minha opinião, a obra de Freud é a mais importante em psicologia.

a' – Admito que seja importante; todavia, não diria que é a mais importante de todas, porque não aborda todas as facetas do comportamento humano.

a – Mas eu não estava pensando nesse aspecto quando falei da psicanálise; estava pensando apenas no fato de que a obra de Freud reformulou totalmente as concepçoes de homem que antes eram dominantes.

a' – Desse ponto de vista, faz sentido. Mas acho que não devemos esquecer que a importância de uma teoria também depende de sua abrangência e...

---

4. *Ibidem*, p. 160.

Vejamos agora o que significam as igualdades da equação elaborada por Piaget, partindo da proposição de *a:*

Ra = Sa': poderia significar que os dois interlocutores estão de acordo sobre uma mesma proposição, enunciada por *a.* Não é bem o caso no exemplo que demos. Todavia, a igualdade Ra = Sa' permanece válida porque os dois chegaram a uma verdade comum que justifica seus diferentes pontos de vista: cada um entende que o outro compreende a palavra *importante* de modo diferente, e também que definição é atribuída pelo outro. Vale dizer que essa diferença de ponto de vista não impede a comunicação intelectual, pois cada um *se situa* em relação ao outro, e a discussão pode acontecer e prosseguir.

Sa' = Ta': o interlocutor *a'* se sente *obrigado* pela proposição que reconheceu como válida. Ou seja, ele não vai se contradizer em seguida. Esse sentimento de obrigação se verifica quando *a'* diz que o que afirmou seu interlocutor *faz sentido*, mas que não se deve esquecer que a importância de uma teoria *também* depende de sua abrangência. O emprego de *mas*, de *também*, mostra que *a'* considera o fato de ter levado em conta (ou seja, conservado) a definição de *importante* dada por *a.* Da equivalência Sa' = Ta' decorre outra Ta' = Ra', ou seja, a proposição de *a'* (Ra') é produto dessa dívida Ta'.

Ta' = Va: vimos que, por Ta', *a'* se engajou em reconhecer como válida, de certo ponto de vista, a proposição de *a*; vale dizer que *a* lhe atribui um valor (Va, positivo, embora relativizado no nosso exemplo) que deverá se manter no resto da conversa (ou então, se houver mudança de opinião por parte de *a'*, este deverá claramente atribuir um valor negativo à proposição inicial de *a*).

Pode-se fazer a mesma equação partindo de *a'* (Ra'), ou seja, pensando pela reciprocidade.

Em síntese, escreve Piaget: "No total, o equilíbrio de uma troca de pensamentos supõe: 1) um sistema comum de signos e de definições; 2) uma conservação das proposições válidas obrigando aquele que as reconhece como tal; e 3) uma reciprocidade de pensamento entre os interlocutores".[5] Para que esse equilíbrio ocorra, são necessários interlocutores que possam cumprir essas regras e determinado tipo de relação social em que elas sejam possíveis. Veremos adiante que tipo de relação social é essa. Por enquanto, continuemos a pensar a definição de "ser social".

Para Piaget, o "ser social" de mais alto nível é justamente aquele que consegue relacionar-se com seus semelhantes de forma *equilibrada*. Como a equação elaborada por Piaget é um *agrupamento*, os interlocutores deverão também, cada um de seu lado, ser capazes de pensar seguindo a mesma operação. Como o *agrupamento* é a formalização dada por Piaget para descrever o pensamento operatório, decorre que tal equilíbrio das relações sociais somente é possível entre sujeitos que tenham atingido esse estágio de desenvolvimento. Dito de outra forma, a maneira de *ser social* de um adolescente é uma, porque é capaz de participar de relações como aquela descrita pela equação, e a maneira de *ser social* de uma criança de 5 anos é outra, justamente porque ainda não é capaz de partici-

---

5. *Ibidem*, p. 162.

par de relações sociais que expressam um equilíbrio de trocas intelectuais.

Vê-se, portanto, que – para Piaget – não se trata de traçar uma fronteira entre o social e o não social, mas sim de, a partir de uma característica importante das relações possíveis entre pessoas de nível operatório – que representa o grau máximo de socialização do pensamento –, comparar graus anteriores de socialização. "Às principais etapas do desenvolvimento das operações lógicas", escreve ele, "correspondem, de maneira relativamente simples, estágios correlativos do desenvolvimento social [...]".[6]

Vamos ver essa correspondência, começando pela criança no estágio sensório-motor. Nesse estágio, Piaget considera abusivo falar em real socialização da inteligência. Essa é essencialmente individual, pouco ou nada devendo às trocas sociais.

Em compensação, a partir da aquisição da linguagem, inicia-se uma socialização efetiva da inteligência. Contudo, durante a fase pré-operatória, algumas características ainda limitam a possibilidade de a criança estabelecer trocas intelectuais equilibradas.

Falta-lhe, em primeiro lugar, a capacidade de aderir a uma escala comum de referência, condição necessária ao verdadeiro diálogo. Vendo, por exemplo, crianças de 4 anos conversando entre elas, verifica-se que cada uma pode emprestar definições diferentes às mesmas palavras, e que não procuram avaliar essa diferença. Observa-se a mesma coisa no jogo de regras: cada uma segue as suas próprias, sem parecer sentir necessidade de regular as diferentes condutas a partir de uma referência única.

---

6. *Ibidem*, p. 155.

Em segundo lugar, a criança pré-operatória não conserva necessariamente, durante uma conversa, as definições que ela mesma deu e as afirmações que ela mesma fez. Esse fato se verifica facilmente quando se entrevistam crianças de até 8 anos, em média, sobre um tema qualquer. Elas afirmam certas ideias e, em seguida, sem nada comentar, afirmam o contrário, não parecendo achar que tais contradições representam um fator complicador para o diálogo. Escreve Piaget: "Tudo se passa como se faltasse uma regulação essencial ao raciocínio: aquela que obriga o indivíduo a levar em conta o que admitiu ou disse, e a conservar esse valor nas construções ulteriores".[7]

Finalmente, a criança pequena tem extrema dificuldade de se colocar no ponto de vista do outro, fato que a impede de estabelecer relações de reciprocidade.

As três características juntas representam o que Piaget chamou de *pensamento egocêntrico*. Tal pensamento, como seu nome indica, está "centrado" no "eu". Exemplos clássicos podem nos ajudar a relembrar esse fenômeno psíquico. Pede-se a uma criança, colocada de um lado de uma mesa sobre a qual estão diversos objetos, que desenhe ou descreva como outra pessoa, sentada do lado oposto, veria os mesmos objetos. As crianças do estágio pré-operatório têm extrema dificuldade de realizar essa tarefa – tendem a desenhar o que elas mesmas veem – porque, justamente, isso exige que o sujeito se descentre, ou seja, se coloque do ponto de vista (espacial, no caso) de outrem. Outro exemplo: uma criança pequena afirma que *a lua a segue e segue as pessoas de modo geral* – pois é essa a ilusão óptica normal – e quando lhe perguntam como

---

7. *Ibidem.* p. 163.

fica quando duas pessoas seguem direções opostas, não sabe responder, mas não abdica da afirmação inicial. Um último exemplo: solicitadas a descobrir que fator determina a maior frequência de oscilações de um pêndulo (tamanho da corda, peso na extremidade, impulso etc.), crianças de até 7 anos sistematicamente costumam atribuir esse fenômeno à força com a qual impulsionam o pêndulo.

Esses exemplos ilustram a tendência de crianças pequenas de eleger o ponto de vista próprio como absoluto. Todavia, o conceito de egocentrismo quer dizer mais. Pensássemos apenas nesse privilégio dado ao ponto de vista próprio, chegaríamos à errônea conclusão de que – na pequena infância – há uma hipertrofia do "eu" e uma autonomia daí decorrente. Dito de outra forma, concluiríamos que a criança pequena está plenamente consciente de seu "eu", consciente das fronteiras que a separam do meio social e físico em que vive. Mas pensar assim seria esquecer a dialética que preside a construção do "eu". Na verdade, a essa centralização corresponde uma ignorância a respeito do próprio "eu". É o que se verifica quando, por exemplo, crianças pequenas mostram-se influenciáveis pelas ideias dos adultos e as repetem, algumas acreditando piamente que elas mesmas as criaram. Essa falta de autonomia também se faz presente quando crianças de 6, 7 anos acreditam que as regras morais são imutáveis como leis físicas e que, mesmo em se tratando de regras de jogos infantis (como bola de gude), nenhuma modificação é permitida. Em suma, egocentrismo significa também que a criança ainda não tem domínio de seu "eu" e que, longe de ser autônoma, ainda é heterônoma nos seus modos de pensar e agir. Basta lembrar que, para Piaget e muitos outros, as noções do Eu e do Outro são construídas conjuntamente, num longo processo de diferenciação. E é justamente essa relativa indiferenciação que determina o tipo de *ser social* que uma criança ainda é no estágio pré-operatório. A qualidade de suas trocas intelectuais com outrem ainda define um grau de socialização precário, em que ela se encontra isolada dos outros – não por estar plenamente consciente de si e fechada em si mesma por alguma decisão autônoma, mas por não conseguir usufruir da riqueza que essas trocas lhe trarão mais tarde. A partir do estágio operatório, as trocas intelectuais começarão a se efetuar como ilustrado pela equação anteriormente descrita. E, em paralelo, a criança alcançará o que Piaget denomina *personalidade*. Escreve ele:

> A *personalidade* não é o "eu" enquanto diferente dos outros "eus" e refratário à socialização, mas é o indivíduo se submetendo voluntariamente às normas de reciprocidade e de universalidade. Como tal, longe de estar à margem da sociedade, a personalidade constitui o produto mais refinado da socialização. Com efeito, é na medida em que o "eu" renuncia a si mesmo para inserir seu ponto de vista próprio entre os outros e se curvar assim às regras da reciprocidade que o indivíduo torna-se personalidade [...] Em oposição ao egocentrismo inicial, o qual consiste em tomar o ponto de vista próprio como absoluto, por falta de poder perceber seu caráter particular, a personalidade consiste em tomar consciência desta relatividade da perspectiva individual e colocá-la em relação com o conjunto das outras perspectivas possíveis: a personalidade é, pois, uma coordenação da individualidade com o universal.[8]

---

8. *Ibidem*, p. 245.

O PROCESSO DE SOCIALIZAÇÃO

Acabamos de ver como Piaget definiu diversos graus de socialização, partindo do "grau zero" (recém-nascido) para o grau máximo representado pelo conceito de personalidade. Vimos que tal evolução passa por diferenças de qualidade das trocas intelectuais, podendo o indivíduo mais evoluído usufruir plenamente tanto de sua autonomia quanto dos aportes dos outros. Assim, longe de significar isolamento e impermeabilidade às ideias presentes na cultura, autonomia significa ser capaz de se situar consciente e competentemente na rede dos diversos pontos de vista e conflitos presentes numa sociedade. Vimos, por fim, que as diversas etapas que definem qualidades diferenciadas do "ser social" acompanham as etapas do desenvolvimento cognitivo. Cabe perguntar agora que influência têm as interações sociais sobre esse desenvolvimento.

Relembremos, em poucas palavras, o caminho desse desenvolvimento. Em seguida, veremos como este se articula com as interações sociais.

Como é sabido, a lógica representa para Piaget a forma final do equilíbrio das ações. Ela é "um sistema de operações, isto é, de ações que se tornaram reversíveis e passíveis de ser compostas entre si".[9] As raízes dessa "marcha para o equilíbrio" encontram-se no período sensório-motor, durante o qual a criança constrói esquemas de ação que constituem uma espécie de lógica das ações e das percepções. Essa primeira organização da inteligência sensório-motora anuncia a ulterior, na qual as ações serão interiorizadas – ou seja, efetuadas

---

9. *Ibidem*, p. 150.

mentalmente. De 2 a 7 anos – período pré-operatório –, embora a inteligência já seja capaz de empregar símbolos e signos, ainda lhe falta a reversibilidade, ou seja, a capacidade de pensar simultaneamente o estado inicial e o estado final de alguma transformação efetuada sobre os objetos (por exemplo, a ausência de conservação da quantidade quando se transvaza o conteúdo de um copo A para outro B, de diâmetro menor). Tal reversibilidade será construída nos períodos operatório concreto e formal. No primeiro, a criança raciocina de forma coerente, contanto que possa manipular os objetos ou imaginar-se nessa situação de manipulação; no segundo, já é capaz de raciocinar sobre simples hipóteses.

Para Piaget, essa "marcha para o equilíbrio" tem bases biológicas no sentido de que é próprio de todo sistema vivo procurar o equilíbrio que lhe permite a adaptação; e também no sentido de que existem processos de autorregulação que garantem a conquista desse equilíbrio. Nesse processo de desenvolvimento, são essenciais as ações do sujeito sobre os objetos, já que é sobre os últimos que se vão construir conhecimentos, e que é por meio de uma tomada de consciência da organização das primeiras (abstração reflexiva) que novas estruturas mentais vão sendo construídas.

Mas, então, se tudo parece se resumir à relação sujeito-objeto, que papel têm os fatores interindividuais no desenvolvimento cognitivo?

Nesse ponto, devemos nos perguntar para que servem as operações mentais. Sem dúvida nenhuma, elas cumprem o papel de permitir um conhecimento objetivo dos diversos elementos presentes na natureza e na cultura. Dito de outra forma, permitem à inteligência chegar à coerência, à objetividade, mas tanto a busca do conhecimento como da coerência não representam necessidades que se poderiam atribuir a um indivíduo isolado: são, antes de mais nada, necessidades decorrentes da vida social. De fato, cada um de nós precisa construir conhecimentos em resposta a uma demanda social de algum tipo, e também precisa comunicar seu pensamento, cuja correção e coerência serão avaliadas pelos outros. Portanto, embora existam leis funcionais de equilíbrio irredutíveis a padrões linguísticos interiorizados, a busca desse equilíbrio – no plano do pensamento – permaneceria inexplicável se não fossem evocadas as relações interindividuais.

Pode-se afirmar, porém, que *todo tipo de relação interindividual pede, por parte de seus membros, um pensamento coerente e objetivo?* Responder afirmativamente a essa questão significaria acreditar que as relações sociais *sempre* favorecem o desenvolvimento! Ora, Piaget não compartilha desse "otimismo social". Para ele, é necessário fazer uma clara distinção entre dois tipos de relação social: a *coação* e a *cooperação*.

"Chamamos de *coação social*", escreve Piaget, "toda relação entre dois ou *n* indivíduos na qual intervém um elemento de autoridade ou de prestígio".[10] Vamos a dois exemplos. Um professor afirma determinada proposição e seu aluno, que nele vê um homem de prestígio – seja pelo simples fato de ser professor, seja pelo fato de ser professor de uma academia famosa –, acredita "piamente" nela. Vale dizer que o aluno em questão toma como verdade o que lhe foi dito, não porque tenha sido convencido por provas e argumentos, mas porque a "fonte" da afirmação é vista por ele como digna de confian-

---

10. *Ibidem*, p. 225.

ça ou como lugar de poder. É ao que a linguagem popular se refere com a expressão "falou, tá falado" (em geral empregada para se referir aos mandos ou opiniões de alguma autoridade). Outro exemplo: todo um grupo acredita que a *masturbação faz mal à saúde*, porque tal opinião foi e é veiculada pela tradição. Aqui, não se trata mais de uma autoridade ou prestígio individuais: mesmo assim, reencontramos esses termos porque à tradição é frequentemente atribuída autoridade (*sempre foi assim*) e prestígio (sabedoria dos *mais velhos*).

Verifica-se que o indivíduo coagido tem pouca participação racional na produção, conservação e divulgação das ideias. No caso da produção, dela simplesmente não participa, contentando-se em aceitar o produto final como válido. Uma vez aceito esse produto, o indivíduo coagido o conserva, limitando-se a repetir o que lhe impuseram. E é dessa mesma forma que ele acaba por se tornar um divulgador dessas ideias: ensina-as a outros da mesma forma coercitiva como as recebeu. Em resumo: ele passa a impor o que – num primeiro momento – lhe impuseram. Daí decorre que a coação corresponde a um nível baixo de socialização no sentido explicitado antes. Em primeiro lugar, não há diálogo verdadeiro, uma vez que um fala e o outro limita-se a ouvir e a memorizar. O indivíduo coagido deve atribuir valor às proposições daquele reconhecido como prestigioso, *mas a recíproca não é verdadeira*. Em segundo lugar, nenhum dos participantes do diálogo necessita se descentrar: o coagido porque lhe basta aceitar as "verdades" impostas – portanto, sem fazer o esforço de verificar de que perspectiva foram elaboradas (o que o leva frequentemente, aliás, a acabar distorcendo o que lhe foi imposto por falta de real compreensão) e a "autoridade"; porque nem precisa ouvir o outro, pois não lhe foi atribuída a tarefa de elaboração racional e de crítica.

Não somente a coação leva ao empobrecimento das relações sociais, fazendo que na prática tanto o coagido quanto o autor da coação permaneçam *isolados*, cada um no seu respectivo ponto de vista, mas também representa um freio ao desenvolvimento da inteligência. De fato, sendo a Razão um processo ativo de busca e produção da verdade (deter pura e simplesmente uma verdade, mas sem poder prová-la ou demonstrá-la, ainda não é ser racional), a relação de coação fecha toda e qualquer possibilidade para que tal processo possa acontecer. Logo, reforça o egocentrismo, impossibilitando o desenvolvimento das operações mentais, uma vez que esse desenvolvimento somente ocorre se representar uma necessidade sentida pelo sujeito.

As relações de *cooperação* representam justamente aquelas que vão pedir e possibilitar esse desenvolvimento. Como seu nome indica, a cooperação pressupõe a coordenação das *operações* de dois ou mais sujeitos. Agora, não há mais assimetria, imposição, repetição, crença etc. Há discussão, troca de pontos de vista, controle mútuo dos argumentos e das provas. Vê-se que a cooperação é o tipo de relação interindividual que representa o mais alto nível de socialização. E é também o tipo de relação interindividual que promove o desenvolvimento. Escreve Piaget:

> Quando eu discuto e procuro sinceramente compreender outrem, comprometo-me não somente a não me contradizer, a não jogar com as palavras etc., mas ainda me comprometo a entrar numa série indefinida de pontos de vista que não são os meus. A coope-

ração não é, portanto, um sistema de equilíbrio estático, como ocorre no regime da coação. É um equilíbrio móvel. Os compromissos que assumo em relação à coação podem ser penosos, mas sei aonde me levam. Aqueles que assumo em relação à cooperação me levam não sei aonde. Eles são formais, e não materiais.[11]

Em resumo, a cooperação é um *método*. Ela é possibilidade de se chegar a verdades. A coação só possibilita a permanência de crenças e dogmas.

É claro que as relações de coação e de cooperação ocorrem em qualquer sociedade, notadamente entre adultos. Mas Piaget emprega essa distinção sobretudo em relação ao desenvolvimento das crianças.

A coação representa o tipo de relação dominante na vida da criança pequena. Nem poderia ser diferente, dada a assimetria da relação pai/filho ou adulto/criança. Portanto, a coação representa uma etapa obrigatória e necessária da socialização da criança. Todavia, se somente houvesse coação, não se compreenderia o desenvolvimento das operações mentais. A cooperação necessária a esse desenvolvimento tem início, segundo Piaget, nas relações entre crianças, daí a simpatia que ele sempre teve pelos trabalhos em grupo como alternativa pedagógica. Mas por que as relações entre crianças representam o ponto de partida da cooperaçao? Ora, simplesmente pelo fato de que não há hierarquias preestabelecidas entre elas, que se concebem iguais umas às outras. E, se uma criança de 7 anos tende a acreditar em tudo que um adulto diz, em relação a um colega de classe será mais exigente quanto a "provas" e "demonstra-

---

11. *Ibidem.* p. 237.

ções". Escreve Piaget: "É a procura da reciprocidade entre os pontos de vista individuais que permite à inteligência construir este instrumento lógico que comanda os outros, e que é a lógica das relações"[12]. E, naturalmente, uma vez "iniciada" a cooperação pela sua convivência com iguais, a criança tenderá a exigir cada vez mais e de todos que se relacionem com ela dessa forma – contanto, evidentemente, que na sociedade em que vive sejam valorizadas as noções de igualdade e respeito mútuo. Para finalizar, acreditamos valer a pena fazer a apreciação que se segue.

É interessante notar uma peculiaridade da teoria de Piaget no que se refere às influências da interação social no desenvolvimento cognitivo. Em geral, quando se pensa em tais influências, aborda-se a questão da *cultura*: determinadas ideologias, religiões, classes sociais, sistema econômico, presença ou ausência de escolarização, características da linguagem, riqueza ou pobreza do meio etc. Piaget pouco se remete a fatores dessa ordem, o que certamente limita sua teoria. Como vimos, a alternativa determinante por ele assinalada é aquela que opõe a coação à cooperação. Ora, isso significa que Piaget pensa o social e suas influências sobre os indivíduos pela perspectiva da ética!

De fato, ser coercitivo ou ser cooperativo, via de regra, depende de uma atitude moral. O indivíduo *deve querer ser cooperativo*. Podemos perfeitamente conceber que alguém com todas as condições intelectuais para ser cooperativo resolva não o ser porque o poder da coação lhe interessa de alguma forma. Vale dizer que o desenvolvimento cognitivo é

---

12. *Ibidem*, p. 238.

condição necessária ao pleno exercício da cooperação, mas não condição suficiente, pois uma postura ética deverá completar o quadro.

Dessa dimensão ética, que acabamos de avaliar do ponto de vista individual, caímos imediatamente no campo político: o regime e as instituições devem valorizar a igualdade e a democracia.

Em suma, a teoria de Piaget é uma grande defesa do ideal democrático. Mas trata-se de uma defesa de caráter científico, uma vez que ele procura demonstrar que a democracia é condição necessária ao desenvolvimento e à construção da personalidade.

O resgate da dimensão ética e política para a elaboração de uma teoria do desenvolvimento cognitivo do homem representa certamente uma grande riqueza para as ciências humanas. Implica a busca de integrar o *homo sapiens* ao *animal político*. Frequentemente vemos teorias sobre cognição limitarem-se a pensar a inteligência somente em seus aspectos lógicos e biológicos, sem lembrar seu caráter social. Mas também, quando pensamos o social, frequentemente limitamo-nos a analisar processos de educação escolar ou de aquisição de linguagem. Ora, a dimensão ética está sempre presente, uma vez que qualquer relação interindividual pressupõe regras. O mérito de Piaget foi o de integrar essas regras ao próprio processo de desenvolvimento, embora sua teoria corra o risco de pretender demonstrar o que era, na verdade, pressuposto: o valor ético da igualdade, da liberdade, da democracia. Em resumo, o valor dos direitos humanos.

2
Vigotski e o processo de formação de conceitos

MARTA KOHL DE OLIVEIRA

Lev S. Vigotski (1896-1934) é um autor que vem despertando grande interesse nas áreas de psicologia e educação no Brasil nos últimos anos, mas cuja obra tem sido relativamente pouco divulgada, seja por meio de traduções de seus trabalhos, seja por meio de textos de outros autores[1]. O objetivo principal do presente texto é o de discutir a concepção de Vigotski a respeito dos fatores biológicos e sociais no desenvolvimento psicológico. Isso é realizado na primeira parte do artigo. Buscando ir além de suas proposições mais gerais sobre essas questões, no entanto, já aprofundadas em algumas das poucas publicações nacionais sobre esse autor (veja especialmente Oliveira, 1993), optamos por abordar, na segunda parte, um

---

1. Desde o lançamento da primeira edição deste livro, em 1992, muitas obras de e sobre Vigotski foram lançadas no Brasil, bem como em diversos outros países. Isso não torna o presente texto desatualizado, pois as questões discutidas permanecem atuais e correspondem a pontos importantes da obra do autor. Cabe mencionar ao leitor interessado, entretanto, que há hoje uma vasta bibliografia disponível, em português e em outras línguas, muito mais ampla do que o conjunto de referências aqui arroladas.

tópico mais específico explorado por Vigotski e não muito frequentemente associado a seu nome entre nós: a questão da formação de conceitos.[2] Vigotski dedica dois longos capítulos de seu livro *Pensamento e linguagem* a essa questão, que podemos considerar um tema de pesquisa que estrutura e concretiza várias de suas ideias mais teóricas, sintetizando suas principais concepções sobre o processo de desenvolvimento. As proposições de Vigotski acerca do processo de formação de conceitos nos remetem à discussão das relações entre pensamento e linguagem, ao tema da mediação cultural no processo de construção de significados por parte do indivíduo, ao processo de internalização e ao papel da escola na transmissão de conhecimentos de natureza diferente daqueles aprendidos na vida cotidiana.

SUBSTRATO BIOLÓGICO E CONSTRUÇÃO CULTURAL NO DESENVOLVIMENTO HUMANO

Falar da perspectiva de Vigotski é falar da dimensão social do desenvolvimento humano. Interessado fundamentalmente no que chamamos de funções psicológicas superiores, e tendo produzido seus trabalhos dentro das concepções materialistas predominantes na União Soviética pós-revolução de 1917, Vigotski tem como um de seus pressupostos básicos a ideia de que o ser humano se constitui como tal na sua relação com o outro social. A cultura torna-se parte da natureza humana num proces-

---

2. É interessante observar que nos Estados Unidos, onde as ideias de Vigotski também são muito discutidas atualmente, a questão da formação de conceitos é um dos tópicos mais difundidos de sua teoria (Van der Veer e Valsiner, 1991; Weinstein, 1990). Não há uma razão clara para essa relativa ausência de interesse, no Brasil, no que se refere à obra de Vigotski, a respeito de um tópico tradicional dentro da psicologia e de certa forma retomado na literatura contemporânea, principalmente a partir da sedimentação da ciência cognitiva como área de pesquisa.

so histórico que, ao longo do desenvolvimento da espécie e do indivíduo, molda o funcionamento psicológico do homem.

Esse teórico multidisciplinar, contudo, que chegou a cursar Medicina depois de formado em Direito e Literatura, deu grande importância ao substrato material do desenvolvimento psicológico, especificamente o cérebro, tendo realizado estudos sobre lesões cerebrais, perturbações da linguagem e organização de funções psicológicas em condições normais e patológicas. Suas proposições contemplam, assim, a dupla natureza do ser humano, membro de uma espécie biológica que só se desenvolve no interior de um grupo cultural.

As propostas de Vigotski sobre a base biológica do funcionamento psicológico foram aprofundadas e estruturadas na forma de teoria neuropsicológica por A. R. Luria, seu discípulo e colaborador. Luria trabalhou durante mais de 40 anos com diversos tipos de dados empíricos, que subsidiaram a produção de uma vasta obra sobre os mecanismos cerebrais subjacentes aos processos mentais. É sobretudo por meio dessa obra que podemos tomar conhecimento das concepções de Vigotski a respeito da base biológica do desenvolvimento psicológico.

As concepções de Vigotski sobre o funcionamento do cérebro humano fundamentam-se em sua ideia de que as funções psicológicas superiores são construídas ao longo da história social do homem. Na sua relação com o mundo, mediada pelos instrumentos e símbolos desenvolvidos culturalmente, o ser humano cria as formas de ação que o distinguem de outros animais. Sendo assim, a compreensão do desenvolvimento psicológico não pode ser buscada em propriedades naturais do sistema nervoso. Vigotski rejeitou, portanto, a ideia de funções mentais fixas e imutáveis, trabalhando com a noção do cérebro como um sistema aberto, de grande plasticidade, cuja estrutura e cujos modos de funcionamento são moldados ao longo da história da espécie e do desenvolvimento individual. Dadas as imensas possibilidades de realização humana, essa plasticidade é essencial: o cérebro pode servir a novas funções, criadas na história do homem, sem que sejam necessárias transformações morfológicas no órgão físico.

Uma ideia fundamental para que se compreenda essa concepção sobre o funcionamento cerebral é a ideia de *sistema funcional*. As funções mentais não podem ser localizadas em pontos específicos do cérebro ou em grupos isolados de células. Elas são, isso sim, organizadas a partir da ação de diversos elementos que atuam de forma articulada, cada um desempenhando um papel naquilo que se constituiu como um sistema funcional complexo. Esses elementos podem estar localizados em áreas diferentes do cérebro, frequentemente distantes umas das outras. Além dessa estrutura complexa, os sistemas funcionais podem utilizar componentes diferentes, dependendo da situação. Em determinada tarefa (por exemplo, a respiração) certo resultado final (no caso da respiração, o suprimento do oxigênio aos pulmões e sua posterior absorção pela corrente sanguínea) pode ser atingido de diversas maneiras alternativas. Se o principal grupo de músculos que funciona durante a respiração para de atuar, os músculos intercostais são chamados a trabalhar, mas se por alguma razão eles estiverem prejudicados, os músculos da laringe são mobilizados e o animal ou pessoa começa a engolir ar, que então chega aos alvéolos pulmonares por uma rota completamente diferente. A presença de uma tarefa constante desempenhada por mecanismos variáveis,

produzindo um resultado constante, é uma das características básicas que distinguem o funcionamento de cada sistema funcional.
(Luria, 1981)

O exemplo acima mostra como até mesmo uma tarefa básica como a respiração é possibilitada por sistemas complexos, que podem se utilizar de rotas diversas e de diferentes combinações de seus componentes. Quando pensamos em tarefas mais distantes do funcionamento psicológico básico e mais ligadas à relação do indivíduo com o meio sociocultural onde ele vive, mais fundamental se torna a ideia da complexidade dos sistemas funcionais que dirigem a realização dessas tarefas. Uma pessoa pode responder corretamente quanto é 15-7, por exemplo, contando nos dedos, fazendo um cálculo mental, usando uma máquina de calcular, fazendo a operação com lápis e papel ou simplesmente lembrando-se de uma informação já armazenada anteriormente em sua memória. É fácil imaginar como cada uma dessas rotas para a solução de um mesmo problema mobilizará diferentes partes de seu aparato cognitivo e, portanto, de seu funcionamento cerebral. Contar nos dedos implica uma atividade motora que está ausente nas outras estratégias; usar a máquina de calcular exige o uso de uma informação "técnica" sobre o uso da máquina; lembrar de um resultado previamente memorizado exige uma operação específica ligada à memória, e assim por diante. (Oliveira, 1991)

Essa concepção da organização cerebral como sendo baseada em sistemas funcionais que se estabelecem num processo filogenético e ontogenético tem duas implicações diretas para a questão do desenvolvimento psicológico. Por um lado, supõe uma organização básica do cérebro humano, resultante da evolução da espécie. Isto é, a postulação da plasticidade cerebral não supõe um caos inicial, mas a presença de uma estrutura básica estabelecida ao longo da história da espécie, que cada membro dela traz consigo ao nascer.[3] Por outro lado, conduz à ideia de que a estrutura dos processos mentais e as relações entre os vários sistemas funcionais transformam--se ao longo do desenvolvimento individual. Nos estágios iniciais do desenvolvimento, as atividades mentais apoiam-se sobretudo em funções mais elementares, enquanto em estágios subsequentes a participação de funções superiores torna--se mais importante. Essa diferença genética na atividade mental tem uma correspondência na organização cortical. Na criança pequena, as regiões do cérebro responsáveis por processos mais elementares são mais fundamentais para seu funcionamento psicológico; no adulto, ao contrário, a importância maior é das áreas ligadas a processamentos mais complexos. Assim, lesões em determinadas áreas corticais podem levar a síndromes completamente diferentes, dependendo do estágio de desenvolvimento psicológico do indivíduo em que a lesão ocorra.

As postulações de Vigotski sobre o substrato biológico do funcionamento psicológico evidenciam a forte ligação entre os processos psicológicos humanos e a inserção do indivíduo num contexto sócio-histórico específico. Instrumentos e símbolos construídos socialmente definem quais das inúmeras possibilidades de funcionamento cerebral serão efetivamente

---

3. Luria (1981) aprofunda em sua obra a questão da estrutura básica do cérebro, distinguindo três grandes unidades de funcionamento cerebral cuja participação é necessária em qualquer tipo de atividade mental: unidade de regulação do tônus cortical e do estado de vigília; unidade de obtenção, processamento e armazenamento de informações; unidade de programação, regulação e avaliação de atividade mental.

concretizadas ao longo do desenvolvimento e mobilizadas na realização de diferentes tarefas.

Uma ideia central para a compreensão das concepções de Vygotsky sobre o desenvolvimento humano como processo sócio-histórico é a ideia de mediação. Enquanto sujeito de conhecimento o homem não tem acesso direto aos objetos, mas um acesso mediado, isto é, feito através dos recortes do real operados pelos sistemas simbólicos de que dispõe. O conceito de mediação inclui dois aspectos complementares. Por um lado refere-se ao processo de representação mental: a própria ideia de que o homem é capaz de operar mentalmente sobre o mundo supõe, necessariamente, a existência de algum tipo de conteúdo mental de natureza simbólica, isto é, que representa os objetos, situações e eventos do mundo real no universo psicológico do indivíduo. Essa capacidade de lidar com representações que substituem o real é que possibilita que o ser humano faça relações mentais na ausência dos referentes concretos, imagine coisas jamais vivenciadas, faça planos para um tempo futuro, enfim, transcenda o espaço e o tempo presentes, libertando-se dos limites dados pelo mundo fisicamente perceptível e pelas ações motoras abertas. A operação com sistemas simbólicos – e o consequente desenvolvimento da abstração e da generalização – permite a realização de formas de pensamento que não seriam possíveis sem esses processos de representação e define o salto para os chamados processos psicológicos superiores, tipicamente humanos. O desenvolvimento da linguagem – sistema simbólico básico de todos os grupos humanos – representa, pois, um salto qualitativo na evolução da espécie e do indivíduo.

Se por um lado a ideia de mediação remete a processos de representação mental, por outro lado refere-se ao fato de que os sistemas simbólicos que se interpõem entre sujeito e objeto de conhecimento têm origem social. Isto é, é a cultura que fornece ao indivíduo os sistemas simbólicos de representação da realidade e, por meio deles, o universo de significações que permite construir uma ordenação, uma interpretação, dos dados do mundo real. Ao longo de seu desenvolvimento o indivíduo internaliza formas culturalmente dadas de comportamento, num processo em que atividades externas, funções interpessoais, transformam-se em atividades internas, intrapsicológicas. As funções psicológicas superiores, baseadas na operação com sistemas simbólicos, são, pois, construídas de fora para dentro do indivíduo. O processo de internalização é, assim, fundamental no desenvolvimento do funcionamento psicológico humano. (Oliveira, 1991)

O PROCESSO DE FORMAÇÃO DE CONCEITOS

A linguagem humana, sistema simbólico fundamental na mediação entre sujeito e objeto de conhecimento, tem, para Vigotski, duas funções básicas: a de intercâmbio social e a de pensamento generalizante. Isto é, além de servir ao propósito de comunicação entre indivíduos, a linguagem simplifica e generaliza a experiência, ordenando as instâncias do mundo real em categorias conceituais cujo significado é compartilhado pelos usuários dessa linguagem. Ao utilizar a linguagem para nomear determinado objeto, estamos, na verdade, classificando esse objeto numa categoria, numa classe de objetos que têm em comum certos atributos. A utilização da linguagem favorece, assim, processos de abstração e generalização. Os atributos relevantes têm de ser abstraídos da totalidade da experiência (para que um objeto seja denominado "triângulo" ele deve ter três lados, independentemente de sua cor ou tamanho, por exemplo), e a presença de um mesmo conjunto de atributos relevantes permite a aplicação de um mesmo nome a objetos diversos (um pastor-alemão e um pequinês são ambos cachorros, apesar de suas diferenças: os atributos de que compartilham permitem que sejam classificados numa mesma categoria conceitual). As palavras, portanto, como signos mediadores na relação do homem com o mundo são, em si, generalizações: cada palavra refere-se a uma classe de objetos, consistindo num signo, numa forma de representação dessa categoria de objetos, desse conceito.

Entretanto, o "pensamento verbal não é uma forma de comportamento natural e inata, mas é determinado por um processo histórico-cultural e tem propriedades e leis específicas que não podem ser encontradas nas formas naturais de pensamento e fala" (Vygotsky, 1989, p. 44). Isto é, os conceitos são construções culturais, internalizadas pelos indivíduos ao longo de seu processo de desenvolvimento. Os atributos necessários e suficientes para definir um conceito são estabelecidos por características dos elementos encontrados no mundo real, selecionados como relevantes pelos diversos grupos culturais. É o grupo cultural onde o indivíduo se desenvolve que vai lhe fornecer, pois, o universo de significados que ordena o real em categorias (conceitos), nomeadas por palavras da língua desse grupo.

Com base nessas concepções, e coerente com sua abordagem genética, Vigotski focaliza seu interesse pela questão dos conceitos no processo de *formação* dos conceitos, isto é, em como se transforma, ao longo do desenvolvimento, o sistema de relações e generalizações contido numa palavra:

Como as tarefas de compreender e comunicar-se são essencialmente as mesmas para o adulto e para a criança, esta desenvolve equivalentes funcionais de conceitos numa idade extremamente precoce, mas as formas de pensamento que ela utiliza ao lidar com essas tarefas diferem profundamente das do adulto, em sua composição, estrutura e modo de operação. (Vygotsky, 1989, p. 48)

Para estudar o processo de formação de conceitos, Vigotski utilizou uma tarefa experimental[4] na qual se apresentavam aos sujeitos vários objetos de diferentes cores, formas, alturas e larguras, cujos nomes estavam escritos na face inferior de cada objeto. Esses nomes designavam "conceitos artificiais", isto é, combinações de atributos rotulados por palavras não existentes na língua natural ("mur" para objetos estreitos e altos, "bik" para objetos largos e baixos, por exemplo). Os objetos eram colocados num tabuleiro diante do sujeito e o experimentador virava um dos blocos, lendo seu nome em voz alta. Esse bloco era colocado, com o nome visível, numa parte separada do tabuleiro e o experimentador explicava que aquele era um brinquedo de uma criança de outra cultura, que havia mais brinquedos desse tipo entre os objetos do tabuleiro e que a criança deveria encontrá-los. Ao longo do experimento, conforme a criança escolhia diferentes objetos como instâncias do conceito em questão, o pesquisador ia interferindo e revelando o nome de outros objetos, a fim de fornecer informações adicionais à criança. Partindo

---

4. Essa tarefa foi desenvolvida por Vigotski em colaboração com L. S. Sakharov, com base em experimentos de N. Ach. Como em outros casos de apresentação de resultados de pesquisa, Vigotski não traz, em seu texto, informações muito precisas sobre seus procedimentos experimentais. Para algumas informações adicionais sobre essa tarefa, veja-se nota do editor à página 49 do livro *Pensamento e linguagem* (Vygotsky, 1989). Veja-se também discussão aprofundada em Van der Veer e Valsiner (1991).

dos objetos escolhidos, e de sua sequência, é que Vigotski propôs um percurso genético do desenvolvimento do pensamento conceitual.

Vigotski divide esse percurso em três grandes estágios, subdivididos em várias fases. No primeiro estágio, a criança forma conjuntos sincréticos, agrupando objetos com base em nexos vagos, subjetivos e baseados em fatores perceptuais, como a proximidade espacial. Esses nexos são instáveis e não relacionados com os atributos relevantes dos objetos. O segundo estágio é chamado por Vigotski de "pensamento por complexos".

> Em um complexo, as ligações entre seus componentes são *concretas* e *factuais*, e não abstratas e lógicas [...] As ligações factuais subjacentes aos complexos são descobertas por meio da experiência direta. Portanto, um complexo é, antes de mais nada, um agrupamento concreto de objetos unidos por ligações factuais. Uma vez que um complexo não é formado no plano do pensamento lógico abstrato, as ligações que o criam, assim como as que ele ajuda a criar, carecem de unidade lógica: podem ser de muitos tipos diferentes. *Qualquer conexão factualmente presente* pode levar à inclusão de um determinado elemento em um complexo. É esta a diferença principal entre um complexo e um conceito. Enquanto um conceito agrupa os objetos de acordo com um atributo, as ligações que unem os elementos de um complexo ao todo, e entre si, podem ser tão diversas quanto os contatos e as relações que de fato existem entre os elementos. (Vygotsky, 1989, p. 53)

A formação de complexos exige a combinação de objetos com base em sua similaridade, a unificação de impressões dispersas. No terceiro estágio, que levará à formação dos conceitos propriamente ditos, a criança agrupa objetos com base num único atributo, sendo capaz de abstrair características isoladas da totalidade da experiência concreta.

O percurso genético proposto por Vigotski para o desenvolvimento do pensamento conceitual não é linear. Isto é, embora o autor se refira ao primeiro, segundo e terceiro estágios desse percurso, ele afirma que, na verdade, o terceiro estágio não aparece, necessariamente, só depois que o pensamento por complexos (segundo estágio) completou todo o curso de seu desenvolvimento. É como se houvesse duas linhas genéticas, duas raízes independentes, que se unem num momento avançado do desenvolvimento para possibilitar a emergência dos conceitos genuínos. Uma raiz, a do pensamento por complexos, estabelece ligações e relações: "O pensamento por complexos dá início à unificação das impressões desordenadas: ao organizar elementos discretos da experiência em grupos, cria uma base para generalizações posteriores" (Vygotsky, 1989, p. 66). A outra raiz realiza o processo de análise, de abstração:

Mas o conceito desenvolvido pressupõe algo além da unificação. Para formar esse conceito também é necessário abstrair, isolar elementos, e examinar os elementos abstratos separadamente da totalidade da experiência concreta de que fazem parte. Na verdadeira formação de conceitos, é igualmente importante unir e separar: a síntese deve combinar-se com a análise. O pensamento por complexos não é capaz de realizar essas duas operações. A sua essência mesma é o excesso, a superprodução de conexões e a debilidade da abstração. A função do processo que só amadurece durante a terceira fase do desenvolvimento da formação de conceitos é a que preenche o segundo requisito, embora sua fase inicial remonte a períodos bem anteriores. (*Ibidem*)

É interessante observar que a ideia da convergência de duas linhas de desenvolvimento independentes na formação de processos psicológicos superiores é bastante característica de Vigotski: sua postulação para as relações entre pensamento e linguagem também inclui a ideia de duas trajetórias genéticas separadas, que em determinado momento do desenvolvimento se unem, dando origem a um processo qualitativamente diferente.

Vygotsky (1989, p. 48) afirma que o ponto principal quanto ao processo de formação de conceitos é a questão dos meios pelos quais essa operação é realizada, já que

> todas as funções psíquicas superiores são processos mediados, e os signos constituem o meio básico para dominá-las e dirigi-las. O signo mediador é incorporado à sua estrutura como uma parte indispensável, na verdade a parte central do processo como um todo. Na formação de conceitos esse signo é a *palavra*, que em princípio tem o papel de meio na formação de um conceito e, posteriormente, torna-se o seu símbolo.

A linguagem do grupo cultural em que a criança se desenvolve dirige o processo de formação de conceitos: a trajetória de desenvolvimento de um conceito já está predeterminada pelo significado que a palavra que o designa tem na linguagem dos adultos.

É nesse sentido que a questão dos conceitos concretiza as concepções de Vigotski sobre o processo de desenvolvimento:

o indivíduo humano, dotado de um aparato biológico que estabelece limites e possibilidades para seu funcionamento psicológico, interage simultaneamente com o mundo real em que vive e com as formas de organização desse real dadas pela cultura. Essas formas culturalmente dadas serão, ao longo do processo de desenvolvimento, internalizadas pelo indivíduo e constituirão o material simbólico que fará a mediação entre o sujeito e o objeto de conhecimento. No caso da formação dos conceitos, fundamental no desenvolvimento dos processos psicológicos superiores, a criança interage com os atributos presentes nos elementos do mundo real, sendo essa interação direcionada pelas palavras que designam categorias culturalmente organizadas. A linguagem, internalizada, passa a representar essas categorias e a funcionar como instrumento de organização do conhecimento.

O processo de formação de conceitos até aqui discutido refere-se aos conceitos "cotidianos" ou "espontâneos", isto é, aqueles desenvolvidos no decorrer da atividade prática da criança, de suas interações sociais imediatas. Vigotski distingue esse tipo de conceitos dos chamados "conceitos científicos" – aqueles adquiridos por meio do ensino, como parte de um sistema organizado de conhecimentos, particularmente relevantes nas sociedades letradas, em que as crianças são submetidas a processos deliberados de instrução escolar. Suas considerações a respeito da aquisição dos conceitos científicos também elucidam suas concepções mais gerais acerca do processo de desenvolvimento.

Os conceitos científicos, embora transmitidos em situações formais de ensino-aprendizagem, também passam por um processo de desenvolvimento, isto é, não são aprendidos em sua forma final, definitiva. Mas "os conceitos científicos e espontâneos da criança – por exemplo, os conceitos de 'exploração' e de 'irmão' – *se desenvolvem em direções contrárias:* inicialmente afastados, a sua evolução faz que terminem por se encontrar. Esse é o ponto fundamental da nossa hipótese".

A criança adquire consciência dos seus conceitos espontâneos relativamente tarde: a capacidade de defini-los por meio de palavras, de operar com eles à vontade, aparece muito tempo depois de ter adquirido os conceitos. Ela possui o conceito (isto é, conhece o objeto ao qual o conceito se refere), mas não está consciente do seu próprio ato de pensamento. O desenvolvimento de um conceito científico, por outro lado, geralmente *começa* com sua definição verbal e com sua aplicação em operações não espontâneas – ao se operar com o próprio conceito, cuja existência na mente da criança tem início a um nível que só posteriormente será atingido pelos conceitos espontâneos.

Um conceito cotidiano da criança, como por exemplo "irmão", é algo impregnado de experiência. No entanto, quando lhe pedimos para resolver um problema abstrato sobre o irmão de um irmão, como nos experimentos de Piaget, ela fica confusa. Por outro lado, embora consiga responder corretamente a questões sobre "escravidão", "exploração" ou "guerra civil", esses conceitos são esquemáticos e carecem da riqueza de conteúdo proveniente da experiência pessoal. Vão sendo gradualmente expandidos no decorrer das leituras e dos trabalhos escolares posteriores. Poder-se-ia dizer que *o desenvolvimento dos conceitos espontâneos da criança é ascendente, enquanto o desenvolvimento dos seus conceitos científicos é descendente,* para um nível mais elementar e concreto. Isso decorre das diferentes formas pelas quais os dois tipos de conceitos surgem. Pode-se remontar a origem de um conceito espontâneo a um confronto com uma situação concreta, ao passo que um conceito científico envolve, desde o início, uma atitude "mediada" em relação a seu objeto.

Embora os conceitos científicos e espontâneos se desenvolvam em direções opostas, os dois processos estão intimamente relacionados. É preciso que o desenvolvimento de um conceito espontâneo tenha alcançado um certo nível para que a criança possa absorver um conceito científico correlato. Por exemplo, os conceitos históricos só podem começar a se desenvolver quando o conceito cotidiano que a criança tem do passado estiver suficientemente diferenciado – quando a sua própria vida e a vida dos que a cercam puder adaptar-se à generalização elementar "no passado e agora", os seus conceitos geográficos e sociológicos devem se desenvolver a partir do esquema simples "aqui e em outro lugar". Ao forçar a sua lenta trajetória para cima, um conceito cotidiano abre o caminho para um conceito científico e o seu desenvolvimento descendente. Cria uma série de estruturas necessárias para a evolução dos aspectos mais primitivos e elementares de um conceito, que lhe dão corpo e vitalidade. Os conceitos científicos, por sua vez, fornecem estruturas para o desenvolvimento ascendente dos conceitos espontâneos da criança em relação à consciência e ao uso deliberado. Os conceitos científicos desenvolvem-se para baixo por meio dos conceitos espontâneos; os conceitos espontâneos desenvolvem-se para cima por meio dos conceitos científicos. (Vygotsky, 1989, p. 93-94)

Essa longa citação de Vigotski, selecionada por sintetizar claramente sua concepção acerca do desenvolvimento dos conceitos científicos, apresenta as ideias que fundamentam sua posição de que os conceitos científicos, diferentemente dos cotidianos, estão organizados em sistemas consistentes de inter-relações. Por sua inclusão num sistema e por envolver uma atitude mediada desde o início de sua construção, os conceitos científicos implicam uma atitude metacognitiva, isto é, de consciência e controle deliberado por parte do indivíduo, que domina seu conteúdo no nível de sua definição e de sua relação com outros conceitos.

Assim como as postulações de Vigotski sobre a formação dos conceitos cotidianos, como vimos anteriormente, concretizam suas concepções sobre o processo de desenvolvimento psicológico, suas concepções sobre o processo de formação de conceitos científicos remetem a ideias mais gerais acerca do desenvolvimento humano. Em primeiro lugar, a particular importância da instituição escola nas sociedades letradas: os procedimentos de instrução deliberada que nela ocorrem (e aqui se destaca a transmissão de conceitos inseridos em sistemas de conhecimento articulados pelas diversas disciplinas científicas) são fundamentais na construção dos processos psicológicos dos indivíduos dessas sociedades. A intervenção pedagógica provoca avanços que não ocorreriam espontaneamente. A importância da intervenção deliberada de um indivíduo sobre outros para promover desenvolvimento articula-se com um postulado básico de Vigotski: a aprendizagem é fundamental para o desenvolvimento desde o nascimento da criança. A aprendizagem desperta processos internos de desenvolvimento que só podem ocorrer quando o indivíduo interage com outras pessoas. O processo de ensino-aprendizagem que ocorre na escola propicia o acesso dos membros imaturos da cultura letrada ao conhecimento construído e acumulado pela ciência e a procedimentos metacognitivos, centrais ao próprio modo de articulação dos conceitos científicos.

Outra ideia geral sobre o desenvolvimento humano, que pode ser explorada com base nas considerações de Vigotski a respeito da formação de conceitos científicos, é a de que diferentes culturas produzem modos diversos de funcionamento psicológico. Grupos culturais que não dispõem da ciência como forma de construção de conhecimento não têm, por definição, acesso aos chamados conceitos científicos. Assim, os membros desses grupos culturais funcionariam intelectualmente com base em conceitos espontâneos, gerados nas situações concretas e nas experiências pessoais. Seu processo de formação de conceitos não inclui, pois, a atitude mediada e a atividade metacognitiva típicas de uma exposição sistemática ao conhecimento estruturado da ciência. As diferenças qualitativas no modo de pensamento de indivíduos provenientes de diferentes grupos culturais estariam baseadas, assim, no instrumental psicológico advindo do próprio modo de organização das atividades de cada grupo.

As postulações de Vigotski sobre os fatores biológicos e sociais no desenvolvimento psicológico apontam para dois caminhos complementares de investigação: de um lado, o conhecimento do cérebro como substrato material da atividade psicológica; de outro, a cultura como parte essencial da constituição do ser humano, num processo em que o biológico se transforma no sócio-histórico. A construção de uma concepção que constitua uma síntese entre o homem na condição de corpo e o homem na condição de mente, objetivo explícito do projeto intelectual de Vigotski e de seus colaboradores, permanece um desafio para a pesquisa e a reflexão contemporâneas, sendo ainda uma questão epistemológica central nas investigações a respeito do funcionamento psicológico do homem.

REFERÊNCIAS

LURIA, A. R. *Fundamentos de neuropsicologia*. Rio de Janeiro: Livros Técnicos e Científicos/Edusp, 1981.

_____. *Desenvolvimento cognitivo: seus fundamentos culturais e sociais*. São Paulo: Ícone, 1990.

OLIVEIRA, M. K. de. "A abordagem de Vygotsky: principais postulados teóricos". In: *Piaget e Vygotsky: implicações educacionais*. São Paulo: Cenp,1990.

_____. *Do biológico ao cultural: a contribuição de Vygotsky à compreensão do desenvolvimento humano*. Trabalho apresentado no II Congresso Latino-Americano de Neuropsicologia e I Congresso Brasileiro de Neuropsicologia, 2 a 6 de novembro, 1991, São Paulo. (mimeo)

_____. *Vygotsky*. São Paulo: Scipione, 1993.

VAN DER VEER, R.; VALSINER, J. *Understanding Vygotsky: a quest for synthesis*. Cambridge: Basil Blackwell, 1991.

VIGOTSKII, L. S.; LURIA, A. R.; LEONTIEV, A. N. *Linguagem, desenvolvimento e aprendizagem*. São Paulo: Ícone/Edusp, 1988.

VYGOTSKY, L. S. *A formação social da mente*. São Paulo: Martins Fontes, 1984.

_____. *Pensamento e linguagem*. 2. ed. São Paulo: Martins Fontes, 1989.

WEINSTEIN, E. A. "Vygotsky revisited". *Contemporary Psychoanalysis*, v. 26, n. 1, jan. 1990, p. 1-15.

3
Do ato motor ao ato mental: a gênese da inteligência segundo Wallon

HELOYSA DANTAS

INTRODUÇÃO

Wallon foi tão parisiense quanto Freud foi vienense; passou sua longa existência de 83 anos (1879-1962) em Paris. Foi médico de batalhão durante a Primeira Guerra e trabalhou para a Resistência na Segunda; filiou-se ao partido comunista algumas semanas depois que os nazistas fuzilaram Politzer. Depois da libertação, presidiu a comissão que elaborou um projeto de reforma de ensino para a França de teor tão avançado que permanece parcialmente irrealizado: à maneira socialista de Makarenko, Wallon concebe o estudo como trabalho social mediato, e prevê para os estudantes a partir do ensino médio um sistema de pré-salários e salários.

Sua formação traz a marca da filosofia e da medicina: daí as frequentes inserções da psicologia na corrente do pensamento ocidental até as suas origens gregas, e também a preocupação permanente com a infraestrutura orgânica de todas as funções psíquicas que investiga. Tendo se ocupado, durante a guerra, de lesões cerebrais, jamais poderia esquecer que a atividade mental tem sede em um órgão de cuja higidez depende. Esse fato o aproxima de Luria, cujos procedimentos e conclusões confirmam e completam muitas das suas hipóteses neurológicas.

A matéria-prima de que partiu foram mais de 200 observações de crianças doentes, casos de retardo, epilepsia, anomalias psicomotoras em geral. Esse material, colhido entre 1909 e 1912, só foi apresentado como tese e publicado depois da Primeira Guerra (1925), quando a experiência clínica com os adultos traumatizados renovou e aprofundou suas conclusões. Resultou disso *L'enfant turbulent*, republicado na França (1984) com um excelente prefácio de Tran-Thong, que insere suas conclusões no cenário dos trabalhos neurológicos recentes.

Sua psicogenética (ela o foi desde o princípio – *L'enfant turbulent* contém, em sua primeira parte, uma descrição das primeiras etapas do desenvolvimento psicomotor: os estágios impulsivo, emocional, sensório-motor e projetivo, e só depois a apresentação das síndromes psicomotoras) tem, por conseguinte, como ponto de partida o patológico. A utilização da doença como um elemento necessário – dos muitos – à compreensão da normalidade fica assentada desde o início. Ele não atua apenas como médico preocupado em curar, mas também como investigador que considera a doença, à maneira de Claude Bernard, uma experiência natural, a forma de experimentação mais apropriada à psicologia. As bases da sua concepção metodológica estão lançadas: à psicologia convém um tratamento histórico (genético), neurofuncional, multidimensional, comparativo. As funções devem ser estudadas evolutiva e involutivamente (daí o interesse pela doença e pela velhice), partindo das suas bases neurológicas, e comparando-as com as suas equivalentes em diferentes espécies animais, em diferentes momentos da história humana individual e coletiva. O equívoco de classificar de organicista a sua proposta vem da incompreensão de dois fatores fundamentais: em primeiro lugar, que *genético* abrange a dimensão da espécie e abre espaço para a incorporação dos resultados da "psicologia histórica", tão prolífica recentemente. E, em segundo lugar, do fato de que, para Wallon, o ser humano é organicamente social, isto é, sua estrutura orgânica supõe a intervenção da cultura para se atualizar. Ele seguramente endossaria e aproveitaria a expressão vigotskiana de "extracortical" para explicar aquela parte do cérebro humano que está fora do cérebro, isto é, o conhecimento.

O método adequado para a psicologia é a observação; tal como na astronomia, que não perde o seu rigor por não poder intervir no seu objeto, o psicólogo deveria aguardar "os eclipses", representados pelos desaparecimentos mórbidos das funções. Suas observações em *L'enfant turbulent* são constituídas essencialmente pelo relato da conduta da criança em seu ambiente (no caso o hospital), e alguns testes são utilizados, parcimoniosamente, apenas para completar as informações retiradas da observação. Wallon concebe a psicologia como ciência qualitativa: não há preocupação nenhuma com a quantificação de resultados. Se ela não é quantitativa e sintética como a psicométrica, que resume seus resultados em um escore, seria então qualitativa e analítica? Qualitativa certamente: quanto à análise, Wallon opta pela análise genética, única forma, a seu ver, de não deixar perder a inteiridade do objeto.

A base para essas decisões metodológicas muito maduras reside numa atitude que se poderia qualificar de "visceralmente" dialética se não fosse concreta e objetivamente sustentada pela experiência médica. Confrontado com o anabólico e o catabólico do metabolismo celular, com a sístole e a diástole da atuação cardíaca, com a dinâmica de controles alternativos que caracteriza o funcionamento subcortical e cortical do cérebro, Wallon foi naturalmente levado a conceber a vida dos organismos como uma pulsação permanente, uma alternância de opostos.

Quando a escolha do materialismo dialético se tornou explícita e assumiu a posição de sede das decisões metodológicas, ela não correspondeu, por conseguinte, a um apriorismo. Representou, para Wallon, uma solução epistemológica. Ciência híbrida, situada na intersecção de dois mundos, o da natureza e o da cultura, a psicologia é a dimensão nova que resulta do encontro, e mantém a tensão permanente do seu jogo de forças.

L'enfant turbulent ilustra os procedimentos metodológicos que serão explicitados mais tarde. Obra germinal, contém em embrião todos os grandes temas que serão retomados e aprofundados: movimento, emoção, inteligência e personalidade. Falta apenas a perspectiva pedagógica, que mais tarde virá a pesar muito.

A MOTRICIDADE: DO ATO MOTOR AO ATO MENTAL

Mas o grande eixo é a questão da motricidade; os outros surgem porque Wallon não consegue dissociá-lo do conjunto do funcionamento da pessoa. A psicogênese da motricidade (não se estranhe a expressão, porque, em Wallon, "motor" é sempre sinônimo de "psicomotor") se confunde com a psicogênese da pessoa, e a patologia do movimento com a patologia do funcionamento da personalidade. Por esse motivo foi tão aproveitado por Le Boulch, cujas psicocinética e propostas de educação psicomotora se caracterizam pela abrangência da sua compreensão do significado psicológico do movimento.

Fiel à sua disposição infraestrutural, Wallon busca os órgãos do movimento: a musculatura e as estruturas cerebrais responsáveis pela sua organização. Na atividade muscular identifica duas funções: cinética, ou clônica, e postural, ou tônica. A primeira responde pelo movimento visível, pela *mudança* de posição do corpo ou de segmentos do corpo no espaço; a segunda, pela *manutenção* da posição assumida (atitude), e pela mímica. A primeira é a atividade do músculo em movimento; a segunda, a do músculo parado. Esse relevo dado à função tônica, identificada como o substrato da função cinética, de cuja higidez depende a sua realização adequada, é caracteristicamente walloniano. Wallon encontra nela a mais arcaica atividade muscular, presente antes de a motricidade adquirir sua eficácia, atuando durante a imobilidade – que é vista não como negatividade, mas como sede de uma atividade tônica que pode ser intensa; presente na emoção, cujas flutuações acompanha e modula, residual quando a função simbólica vem a internalizar o ato motor.

No antagonismo entre motor e mental, ao longo do processo de fortalecimento deste último, por ocasião da aquisição crescente do domínio dos signos culturais, a motricidade em sua dimensão cinética tende a se reduzir, a se virtualizar em ato mental. A sensório-motricidade incontinente do segundo ano de vida tende – lentamente – a diminuir, dando lugar a períodos cada vez maiores de imobilidade possível; esse enfraquecimento da função cinética é proporcional ao fortalecimento do processo ideativo. Mas a quietação assim obtida é um produto difícil, dependente da maturação dos centros corticais de inibição, assim como das estruturas responsáveis pelo controle automático do tônus (em particular, o cerebelo). Ela corresponde à redução da atividade muscular à sua função tônico-postural. Embora imobilizada no esforço mental, a musculatura permanece envolvida em atividade tônica que pode ser intensa; pensa-se com o corpo em sentido duplo – com o cérebro e com os músculos. Esse fato foi intuitivamente compreendido por Rodin: sua representação plástica do "Pensador" apresenta um homem intensamente contraído, com a musculatura retesada pelo esforço.

Assim é que, para Wallon, o ato mental – que se desenvolve a partir do ato motor – passa em seguida a inibi-lo, sem deixar de ser atividade corpórea. Do relevo dado à função tônica resulta a percepção da importância de um tipo de movimento associado a ela, e que é normalmente ignorado, obscurecido pelo movimento práxico. É a motricidade expressiva da mímica, inteiramente ineficaz do ponto de vista instrumental: não tem efeitos transformadores sobre o ambiente físico. Mas o mesmo não acontece em relação ao ambiente social: pela expressividade o indivíduo humano atua sobre o outro, e é isso que lhe permite sobreviver durante o seu prolongado período de dependência. A motricidade humana, descobre Wallon em sua análise genética, começa pela atuação sobre o meio social, antes de poder modificar o meio físico. O contato com este, na espécie humana, nunca é direto: é sempre intermediado pelo social, em sua dimensão tanto interpessoal quanto cultural.

Antagonismo, descontinuidade entre ato motor e ato mental, anterioridade da modificação do meio social em relação ao meio físico: esses são elementos essenciais à compreensão da concepção walloniana. A sua tipologia do movimento, baseada nas sedes de controle, é praticamente consensual. Há os movimentos reflexos, controlados no nível da medula; há os movimentos involuntários, automáticos, controlados em nível subcortical pelo sistema extrapiramidal; e há os movimentos voluntários ou praxias, controlados no nível cortical pelo sistema piramidal. Entre eles, embora haja sucessão cronológica de aparecimento, não há derivação funcional. Eles correspondem à emergência de estruturas nervosas diferentes, entre as quais se estabelece subordinação funcional. O sistema cortical impõe seu controle sobre o sistema subcortical, e se estabelece entre ambos uma relação de reciprocidade, mas também de subordinação do sistema mais antigo (o subcortical) ao mais recente. Praxias bem estabelecidas automatizam-se, liberando o córtex para novas utilizações; automatismos podem ser conscientizados, embora isso exija enorme esforço.

Entre os movimentos involuntários, incluem-se os expressivos (mímica, atitude) que permanecem inconscientes a ponto de, por vezes, a pessoa não se reconhecer na descrição de um bordão motor; os automatismos subsidiários das praxias, como o balanço dos braços no andar, ou os movimentos complementares do resto do corpo nos gestos de preensão, e ainda – como já se disse – aquelas praxias que o uso automatizou, como os gestos de dirigir um automóvel.

A incompatibilidade funcional entre os níveis manifesta-se no antagonismo entre atividade automática e representação. A conscientização dos automatismos tende a produzir um efeito desagregador sobre eles. Comece-se a "pensar" os gestos, já automatizados, de guiar um automóvel, e o desempenho imediatamente se desarticula. Esse fenômeno está na base do que Wallon denomina reações de "prestance" (presença), isto é, a canhestria provocada pela sensação de estar sendo observado.

A sequência psicogenética de aparecimento dos diferentes tipos de movimento acompanha a marcha, que se faz de baixo para cima, do amadurecimento das estruturas nervosas. Imediatamente após o nascimento, período que se poderia denominar medulobulbar, a motricidade disponível consiste, além dos reflexos, apenas em movimentos impulsivos, globais, incoordenados. Sua completa ineficácia (são incapazes sequer de fazer o recém-nascido sair de uma posição incômoda) os fez ignorados. A partir deles, porém, evoluirão os movimentos expressivos, forma primeira, mediada, de atuação. Essa etapa impulsiva da motricidade dura aproximadamente três meses; daí até o final do primeiro ano, o amadurecimento das estruturas mesoencefálicas do sistema extrapiramidal, aliado à resposta social do ambiente, na forma de interpretação do significado (bem-estar e mal-estar) dos movimentos, introduzirá a etapa expressivo-emocional. A maior parte das manifestações motoras consistirá em gestos dirigidos às pessoas (apelo): manifestações agora cheias de nuanças, de alegria, surpresa, tristeza, desapontamento, expectativa etc.

A predominância dos gestos instrumentais, práxicos, no cenário do comportamento infantil começa a se estabelecer no segundo semestre e se impõe verdadeiramente apenas no final do primeiro ano, quando o amadurecimento cortical torna aptos os sistemas necessários à exploração direta sensório-

-motora da realidade: a marcha, a preensão, a capacidade de investigação ocular sistemática, em especial. Wallon faz lembrar como é lento o amadurecimento dessas competências: no início do primeiro ano, o ser está à mercê das suas sensações internas, viscerais e posturais. A exploração da realidade exterior só será possível quando o olho e a mão adquirirem a capacidade de pegar e olhar praxicamente. O reflexo de preensão será substituído, por volta do segundo trimestre, por uma preensão voluntária, ainda muito tosca: a chamada preensão palmar, em que a mão se fecha em torno do objeto sem fazer uso da oposição entre o polegar e os outros dedos, vantagem da espécie humana. Alguns meses depois, essa oposição se inicia, mas ainda de forma rudimentar. A chamada preensão em pinça, em que polegar e indicador se opõem e se complementam, só é adquirida por volta dos 9 meses. É interessante notar que a preensão voluntária antecede a abertura voluntária da mão no ato de soltar o objeto. É possível assistir ao dilema de uma criança com as duas mãos ocupadas, diante de um terceiro objeto interessante: a dificuldade de "largar" parece ser consideravelmente maior do que a de "pegar".

Mas a competência no uso das mãos, faz notar Wallon, só está completa quando, por volta do final do primeiro ano, se forma a bilateralidade, e as duas mãos deixam de atuar indiferenciadamente para adotarem uma ação complementar, em que cabe à dominante a iniciativa, e à não dominante uma atividade auxiliar.

É igualmente lento o despertar da competência visual: depois dos reflexos pupilares com os quais se nasce, nota-se o aparecimento da capacidade de fixar e acompanhar voluntariamente um móvel. A princípio, apenas as trajetórias mais simples, horizontais; alguns meses depois, as verticais e, próximo do final do primeiro ano, as circulares.

Essas são apenas as praxias básicas; as especiais, próprias de cada cultura, como segurar adequadamente um lápis ou um pincel, percorrer uma página a partir do alto, à esquerda, ou de baixo, à direita, ou ainda segurar um garfo ou manusear pauzinhos para comer, não podem obviamente ser consideradas produto do amadurecimento cortical. Ajuriaguerra, beneficiando-se da contribuição teórica walloniana, realizou com um grupo de colaboradores uma minuciosa investigação sobre a praxia da escrita, pondo a nu a complexidade tônico--postural de uma atividade que requer a imobilização e a movimentação rápida de diferentes segmentos corporais simultaneamente.

Mas as competências básicas de pegar e olhar não bastariam para a exploração autônoma da realidade desacompanhadas da possibilidade de andar: por isso Wallon realiza aí o corte que dá entrada ao período sensório-motor e – com ele – à etapa dominantemente práxica da motricidade.

Quase ao mesmo tempo, porém, a influência ambiental, aliada ao amadurecimento da região temporal do córtex, dará lugar à fase simbólica e semiótica. Ao lado dos movimentos instrumentais, assiste-se à entrada em cena de movimentos de natureza diversa, veiculadores de imagens: são os movimentos simbólicos ou ideomovimentos, expressão peculiar a Wallon – indica que se trata de movimentos que contêm ideias, assim como a dependência inicial destas em relação àqueles. O processo ideativo é inicialmente projetivo (e pode permanecer assim em certos quadros patológicos, como a epilepsia). Isto é, exterioriza-se, projeta-se em atos, sejam eles mímicos, na fala, ou mesmo nos gestos da escrita. Imobilize-se uma criança de 2 anos que fala e gesticula e atrofia-se o seu fluxo mental. Inversamente, é experiência trivial no adulto o poder da palavra, oral ou escrita, de adiantar-se, quase conduzir o pensamento – por vezes, ilustrando a persistência dessa ideomotricidade. O movimento, a princípio, desencadeia e conduz o pensamento. O gesto gráfico, inicialmente condutor da ideia, só depois é conduzido por ela. "Como posso saber o que estou desenhando se ainda não terminei?" – dirá uma criança de 3 ou 4 anos. O controle do gesto pela ideia inverte-se ao longo do desenvolvimento.

Essa transição do ato motor para o mental, ruptura e descontinuidade que assinalam a entrada em cena de um novo sistema, o cortical, pode ser acompanhada na evolução das condutas imitativas. Longe de ampliar essa noção para abarcar a chamada imitação sensório-motora ou pré-simbólica, Wallon restringe o termo às suas formas superiores, corticais, porque supõe nas outras a ação de mecanismos mais primitivos. Distingue assim os "contágios" motores, ecocinesias, ecolalias, ecopraxias, simples mimetismo da chamada imitação diferida, em que a ausência do modelo torna inquestionável a sua natureza simbólica. "Imitação diferida" e "imitação simbólica" constituem, na sua linguagem, redundâncias.

Mas a imitação realiza, ele concorda, a passagem do sensório-motor ao mental. A reprodução dos gestos do modelo acaba por se reduzir a uma impregnação postural: o ato se torna simples atitude. Esse congelamento corporal da ação constituiria o seu resíduo último antes de se virtualizar em imagem mental. À sequência bem conhecida que leva do sinal ao símbolo e deste ao signo, Wallon acrescenta o "simulacro", representação do objeto sem nenhum objeto substitutivo, pura mímica em que o significante é o próprio gesto.

Assim, a imitação dá lugar à representação que lhe fará antagonismo: na condição de ato motor, ela tenderá a ser reduzida e desorganizada pela interferência do ato mental.

AS FASES DA INTELIGÊNCIA

Nessa concepção do desenvolvimento da pessoa, a inteligência ocupa o lugar de meio, de instrumento colocado à disposição da ampliação daquela.

Construindo-se mutuamente, sujeito e objeto, afetividade e inteligência alternam-se na preponderância do consumo da energia psicogenética. Na primeira etapa, correspondente ao primeiro ano de vida, dominam as relações emocionais com o ambiente e o acabamento da embriogênese: trata-se nitidamente de uma fase de construção do sujeito, em que o trabalho cognitivo está latente e ainda indiferenciado da atividade afetiva.

Ele consiste essencialmente na preparação das condições sensório-motoras (olhar, pegar, andar) que permitirão, ao longo do segundo ano de vida, a exploração intensa e sistemática do ambiente.

Este, sim, será o momento em que a inteligência poderá dedicar-se à construção da realidade; tendo obtido certa diferenciação, tornar-se-á aquilo que Wallon chamou de inteligência prática ou das situações, cuja extrema visibilidade a tornou tão bem conhecida com o nome de sensório-motora.

Quase simultaneamente, a função simbólica, alimentada pelo meio humano, vem despontando: no final do segundo ano, a fala e as condutas representativas são inegáveis, confirmando uma nova forma de relação com o real, que emancipará a inteligência do quadro perceptivo imediato. Essa função é frágil no início, apoia-se ainda muito tempo nos gestos que a transportam, "projeta-se" em atos: por isso Wallon a chama de *projetiva*.

Com a função simbólica e a linguagem, inaugurar-se-á o pensamento discursivo, que mantém com aquela uma relação de construção recíproca. Suas primeiras manifestações, captáveis em diálogos sustentados, Wallon as obteve a partir de 5 anos, revestidas de características que sintetizou com a denominação de *sincretismo*.

O pensamento discursivo é, pois, sincrético na origem; sua forma mais elementar, ao contrário do que julgaram os associacionistas, é uma molécula, o par. Esse parece ser mais um exemplo de como a análise genética e a análise estrutural podem levar a resultados diversos.

A análise genética encontra no par duas ideias fundidas de maneira indissociável, porque sincrética. O sincretismo alcança não só os conteúdos como os processos do pensamento inicial: os próprios mecanismos de assimilação e oposição são indiferenciados, de maneira que duas coisas são simultaneamente assimiladas e opostas: "O sol é o céu, mas não são a mesma coisa".

Depois da latência cognitiva que acompanha os anos pré-escolares, ocupados com a tarefa de reconstruir o eu no plano simbólico, a inteligência poderá, se aquele processo foi bem-sucedido, beneficiar-se com o resultado da redução do sincretismo da pessoa.

Seu trabalho será uma nova superação do sincretismo, agora no plano do pensamento, do discurso, do objeto. A função da inteligência, tanto para o adulto como para a criança, Wallon a entende como residindo na explicação da realidade. Explicar supõe definir: são essas, pois, as duas grandes dimensões em torno das quais se organizam os diálogos que compõem sua investigação.

Seu entendimento sobre definição é quase clássico: a atribuição das qualidades específicas de um objeto, resultando em integrá-lo a uma classe maior e diferenciá-lo das vizinhas. Diferenciação e integração constituem os processos básicos envolvidos. Esse recorte nítido permitirá subtrair os objetos à confusão sincrética, e por conseguinte estabelecer entre eles uma rede de relações nítidas. É essa trama relacional que, para Wallon, constitui a explicação das coisas: aqui ele se afasta da noção clássica, em que explicar é estabelecer as condições de necessidade de um fato. Para Wallon, explicar é determinar condições de existência, entendimento que abarca os mais variados tipos de relação: espaciais, temporais, modais, dinâmicas, além das causais *stricto sensu*. Ele é consequência da opção epistemológica walloniana: para a sua concepção dialética da natureza, tudo está ligado a tudo, além de estar em permanente devir.

Essas opções determinam o tipo de interrogatório a que submete as crianças: O que é...?, para a definição; Por quê? Como? Quando? Onde? etc., para a explicação. Os temas são os da experiência vivida e os da percepção direta: o sol, o céu, a noite, a lua, o vento, o frio, as árvores, a neve, o rio.

Mediante esse tipo de diálogo, em entrevistas cujo conteúdo foi inteiramente aproveitado, sem nenhum tipo de seleção do material, Wallon constatou, entre os 5 e 9 anos de idade, uma tendência à redução do sincretismo, o que permite o aparecimento de uma forma mais diferenciada de pensamento a que chamou de "categorial".

Próxima da noção de "conceitual", ela contém aquilo que, para Wallon, é a sua condição: a qualidade diferenciada da coisa em que se apresenta, tornada "categoria" abstrata, exigência *sine qua non* para a definição e, por conseguinte, para a elaboração do conceito.

De todas as diferenciações que se processam, essa é a mais fundamental: só ela permitirá a atribuição das qualidades específicas de um objeto, tornando-o assim distinto de outros, sem carregar consigo os demais atributos do objeto em que aparece. Enquanto o "pesado" do barco estiver confundido com as suas outras características, como "grande", será impossível chegar à solução do problema do afundamento da faca.

Enquanto ela não se processar, o pensamento binário permanecerá ao sabor das contradições, corolário inevitável do sincretismo. (O estudo minucioso das suas formas foi realizado em *As origens do pensamento na criança*.)

Esse sincretismo começa por ser o do sujeito com o objeto do discurso: mistura afetiva, pessoal, que refaz, no plano do pensamento, a indiferenciação inicial entre inteligência e afetividade. Wallon recusa persistentemente dar o passo que transforma sincretismo em egocentração: às explicações autocentradas contrapõe outras de tendência inversa, encontrando na extrema instabilidade, e não em um eixo firmemente autocentrado, a característica maior da ideação infantil.

As relações que mantém com a linguagem são recíprocas e extremamente sutis. No início, longe de conduzir a escolha da palavra, o pensamento é, pelo contrário, conduzido por ela em seus níveis mais primitivos: a musicalidade das assonâncias e rimas, os automatismos da língua. A palavra carrega a ideia, assim como o gesto carrega a intenção.

A reconquista da dimensão melódica da linguagem, como a emancipação do gesto ao controle da vontade, constitui objetivo de certas modalidades artísticas. Sua existência demonstra que o desenvolvimento representa também perda ou atrofia de possibilidades, que precisam ser recuperadas e resgatadas. Essa noção, compatível apenas com concepções paradoxais, não lineares, de desenvolvimento, está implícita no alerta feito por Wallon em relação ao sincretismo: é preciso ser capaz de preservá-lo tanto quanto discipliná-lo, uma vez que dele depende a possibilidade de combinações inteiramente novas e originais de ideias. Nele está a raiz do pensamento criador.

A linguagem, capaz de conduzir o pensamento, é também capaz de nutri-lo e alimentá-lo; estruturam-se reciprocamente: produto da razão humana, ela acaba, no curso da história, por se tornar sua fabricante. Razão constituinte é razão constituída, conclusão inevitável que resulta de vê-la em perspectiva histórica.

REFERÊNCIAS

DANTAS, H. *A infância da razão*. São Paulo: Manole, 1990.

TRAN-THONG. *Stades et concept de stade de développement de l'enfant dans la psychologie contemporaine*. Paris: Vrin, 1978.

WALLON, H. *L'évolution psychologique de l'enfant*. Paris: A. Colin, 1941.

_____. *De l'acte à la penseé*. Paris: Flaminarion, 1942.

_____. *Les origines de la penseé chez l'enfant*. Paris: PUF, 1945.

_____. *As origens do pensamento na criança*. São Paulo: Manole, 1988.

Parte II
Afetividade e cognição

4
Desenvolvimento do juízo moral e afetividade na teoria de Jean Piaget

YVES DE LA TAILLE

Uma boa maneira de compreender e avaliar a articulação, feita por determinado autor, entre afetividade e inteligência é analisar as concepções deste acerca do tema do juízo moral. De fato, a moralidade humana é o palco por excelência onde afetividade e Razão se encontram – via de regra, na forma do confronto.

A ideia desse confronto perpassa toda a filosofia e a literatura, como o ilustra a oposição frequentemente apontada entre as personagens de Racine e Corneille, dois grandes autores dramáticos franceses do século 17.

Para o primeiro, a paixão é uma força avassaladora, uma "fatalidade interna" que arrasa as vãs tentativas da Razão de salvaguardar a retidão moral das ações. O amor culposo de Fedra por Hipólito, filho de um primeiro casamento de seu marido, o legendário rei Teseu, desencadeia irresistivelmente os ciúmes, as mentiras, as perfídias e finalmente a humilhação e a morte. Diz ela:

Eu o vejo, eu lhe falo; e meu coração... eu me perco. Senhor, meu louco amor, à minha revelia, se declara.

Para o herói corneilliano, ao contrário, a Razão e seus princípios morais devem e podem vencer. Assim, o que poderia fazer Rodrigo (na tragédia *Le Cid*), momentaneamente dilacerado entre seu amor por Ximena e o dever de matar o pai dela para vingar a desonra que este infligiu a Dom Diego (pai de Rodrigo)? Não será, como para Fedra, sacrificar a honra ao amor, mas sacrificar as vontades do coração aos imperativos da Razão[1]: ele mata o pai de Ximena. E também para ela não poderia haver outra solução, senão desprezaria Rodrigo por ser um "fraco". Diz ele, pensando em sua amada:

> Vingando-me, suscito seu ódio e sua cólera;
> Em não o fazendo, suscito seu desprezo.

O psicólogo pode se perguntar qual será, das duas personagens, a mais real ou, pelo menos, a mais verossímil. A rigor, para responder a essa pergunta, deverá ter certa concepção de como se articulam a afetividade e a Razão, de como convivem suas respectivas características e exigências. Longe de esgotar o tema dessa articulaçao (que nao pode ser vista apenas como confronto), acredito que o tema do juízo e da ação morais pode ajudar-nos a elucidar a questão. É o que me proponho a

---

1. Estou aqui aceitando a interpretação tradicional da personagem Rodrigo. Mas há outras, em que lhe são atribuídos sentimentos como paixão, orgulho, generosidade – nas quais, portanto, vê-se em Rodrigo uma feliz aliança entre afeto e Razão. Leia-se, a esse respeito, o livro *Morales du grand siècle*, de Paul Benichou (Paris: Gallimard, 1948).

fazer em relação à teoria de Jean Piaget, emérito pesquisador da cognição humana, mas também autor de um importante livro sobre a moralidade.

O DESENVOLVIMENTO DO JUÍZO MORAL NA CRIANÇA

Em 1932, portanto no início de sua carreira de epistemólogo e de psicólogo, Jean Piaget publicou *Le jugement moral chez l'enfant*[2]. Esse livro teria um destino peculiar. Por um lado, permaneceria isolado dentro da obra de Piaget, pois este nunca mais voltaria ao tema, a não ser em alguns artigos compilados e publicados sob o título de *Études sociologiques*[3]. Em compensação, tornar-se-ia um clássico da literatura psicológica contemporânea, referência obrigatória para todos os pesquisadores da moralidade humana e das interações sociais, e fonte de inspiração filosófica para pensadores debruçados sobre questões de ética, como Habermas e Rawls.

Le jugement moral chez l'enfant certamente pode ser incluído entre os grandes livros de Piaget. A rigor, toda tentativa de resumo das ideias nele contidas acaba por configurar uma traição à densidade e ao valor do texto. Nele não se encontram conclusões definitivas, reflexões completas, conceitos lapidados que possam ser, com precisão, transmitidos ao leitor; antes, vê-se um Piaget instigante, arrojado, intuitivo, que, no decorrer de sua reflexão, retoma uma mesma ideia procu-

---

2. Publicado no Brasil sob o título *O julgamento moral na criança* (São Paulo: Mestre Jou, 1977). Uma tradução mais adequada do título teria sido "O juízo moral na criança", uma vez que não eram tanto as diversas sentenças tomadas pelas crianças que interessavam a Piaget, mas sim a qualidade dos raciocínios que presidiam as decisões. Para nos referirmos a esse livro, empregaremos as iniciais JM.
3. Publicado no Brasil sob o título *Estudos sociológicos* (Rio de Janeiro: Forense, 1973).

rando dar-lhe um contorno cada vez mais significativo. Lê-lo por inteiro é, pois, necessário. Após relatar brevemente as pesquisas nele apresentadas, vou procurar me ater ao eixo principal em torno do qual giram as ideias de Piaget sobre juízo moral, e mostrar como nele está implícita certa concepção da relação entre afetividade e cognição.

AS REGRAS DO JOGO

Escreve Piaget: "Toda moral consiste num sistema de regras, e a essência de toda moralidade deve ser procurada no respeito que o indivíduo adquire por tais regras" (JM, p. 2).

Inspirado por essa definição, Piaget inicia suas pesquisas escolhendo um campo muito peculiar da atividade humana: o jogo de regras.

Outros autores, notadamente Johan Huizinga[4], já mostraram a importância paradigmática do jogo na cultura. Para Piaget, os jogos coletivos de regras são paradigmáticos para a moralidade humana. E isso por três razões, pelo menos. Em primeiro lugar, representam uma atividade interindividual necessariamente regulada por certas normas que, embora geralmente herdadas das gerações anteriores, podem ser modificadas pelos membros de cada grupo de jogadores, fato esse que explicita a condição de "legislador" de cada um deles. Em segundo lugar, embora tais normas não tenham em si caráter moral, o *respeito* a elas devido é, ele sim, moral (e envolve questões de justiça e honestidade). Por fim, tal respeito provém de *mútuos acordos* entre os jogadores, e não da mera

---

4. Huizinga, J. *Homo ludens: essai sur la fonction sociale du jeu.* Paris: Gallimard, 1951.

aceitação de normas impostas por autoridades estranhas à comunidade de jogadores. Vale dizer que, ao optar pelo estudo do jogo de regras, Piaget deixa antever sua interpretação contratual da moralidade humana.

Sua opção recaiu sobre o jogo de bola de gude para meninos e sobre a amarelinha para meninas. Para cada sujeito, pesquisou a *prática* e a *consciência* da regra, pedindo-lhe, num primeiro momento, que o ensinasse a jogar e jogasse com ele, e, em seguida, que lhe dissesse de onde vinham essas regras, quem as tinha inventado, se poderiam ser modificadas etc.

A evolução da prática e da consciência da regra pode ser dividida em três etapas.

A primeira delas é a etapa da *anomia*. Crianças de até 5, 6 anos de idade não seguem regras coletivas. Interessam-se, por exemplo, por bolas de gude, mas antes para satisfazer seus interesses motores ou suas fantasias simbólicas, e não tanto para participar de uma atividade coletiva.

A segunda etapa é aquela da *heteronomia*. Nota-se, agora, um interesse em participar de atividades coletivas e regradas. Todavia, duas características dessa participação explicitam a heteronomia da criança de até 9, 10 anos em média. A primeira delas refere-se à interpretação que tem das origens das regras e da possibilidade de modificá-las: foram "senhores" ou até Deus que, muito tempo atrás, conceberam e impuseram as regras do jogo de bola de gude ou da amarelinha, e qualquer modificação dessas regras, mesmo que recebesse o acordo dos vários jogadores, é proibida ou vista como "trapaça". Vale dizer que a criança dessa fase não concebe tais regras como um contrato firmado entre jogadores, mas sim como algo sagrado e imutável, pois imposto pela "tradição".

E, a *fortiori*, não concebe a si própria como possível legisladora, ou seja, como possível inventora de regras que possam ser, por mútuo acordo, legitimadas coletivamente. Daí a opção de Piaget pelo conceito de heteronomia.

Uma segunda característica vem confirmar tal heteronomia. Embora demonstre esse respeito quase religioso pelas regras quando interrogada sobre suas origens e sobre possíveis modificações, a criança, quando joga, ainda se mostra bastante "liberal" no que tange à aplicação das regras: frequentemente introduz, sem nenhuma consulta prévia a seu adversário, alguma variante que lhe possibilita ter melhor desempenho e não acha estranho afirmar no final de uma partida que "todo mundo ganhou". Segundo uma expressão famosa, as crianças dessa fase jogam mais umas *ao lado* das outras do que realmente umas *contra* ou *com* as outras. Tal desrespeito prático pode parecer contraditório com as concepções sobre a intangibilidade das regras, mas, na verdade, trata-se das duas faces de uma mesma moeda. A criança heterônoma não assimilou ainda o sentido da existência de regras: não as concebe como necessárias para regular e harmonizar as ações de um grupo de jogadores e por isso não as segue à risca; e, justamente por não as conceber dessa forma, atribui-lhes uma origem totalmente estranha à atividade e aos membros do grupo, e uma imutabilidade definitiva que faz as regras assemelharem-se a leis físicas.

A terceira e última etapa é a da *autonomia*. Suas características são justamente opostas às da fase de heteronomia, e correspondem à concepção adulta do jogo. Em primeiro lugar, as crianças jogam seguindo as regras com esmero. Em segundo lugar, o respeito pelas regras é compreendido como decorrente de mútuos acordos entre os jogadores, cada um concebendo a si próprio com possível "legislador", ou seja, criador de novas regras que serão submetidas à apreciação e aceitação dos outros. Deve-se acrescentar que a autonomia demonstrada na prática da regra aparece um pouco mais cedo do que aquela revelada por sua consciência.

Em função desses dados, Piaget formulou a hipótese de que o desenvolvimento do juízo moral – quer dizer, aquele da prática e da compreensão das regras propriamente ditas morais – seguiria as mesmas etapas. Para verificá-lo, começou pesquisando as concepções infantis a respeito dos *deveres* morais.

O DEVER MORAL

É fácil entender por que Piaget optou por prosseguir sua pesquisa com a questão do dever. Em primeiro lugar, o ingresso da criança no universo moral certamente se dá pela aprendizagem de diversos deveres a ela impostos pelos pais e por adultos em geral: não mentir, não pegar as coisas dos outros, não falar palavrão etc. Em segundo lugar, tal imposição é perfeitamente possível na fase de heteronomia da criança: se ela já está inclinada a aceitar como inquestionáveis regras de jogos, provavelmente reagirá da mesma forma a regras morais. E, assim como ela deformava as primeiras, desrespeitando-as na prática e desconhecendo sua origem contratual, provavelmente também deformará de alguma forma as segundas.

Para verificar essa hipótese, Piaget investigou as concepções morais infantis em relação ao dever em três situações distintas: o dano material, a mentira e o roubo. O método empregado consistiu em fazer que as crianças desempenhassem o papel de pequenos *juízes* cuja tarefa seria a de tomar posição sobre diversos *dilemas* morais. Por exemplo, contam-se duas histórias. Na primeira, um menino quebra dez copos sem querer; na segunda, outro quebra um só durante uma ação ilícita. Então se pede à criança que diga se ela acha os protagonistas culpados, qual deles é o mais culpado e por quê. Empregando esse tipo de método, tem-se acesso ao juízo moral da criança. Todavia, não se pode mais verificar sua prática. Será que um sujeito que diz que é proibido mentir nunca mente? É perigoso afirmá-lo. Piaget deixa claro que está consciente dessa limitação. Voltaremos a ela quando discutirmos as relações entre afetividade e Razão.

Os dados encontrados confirmam a existência de uma primeira fase de heteronomia no desenvolvimento do juízo moral (em fase de anomia, a pesquisa é impossível de ser feita em função da pouca idade das crianças). Tal heteronomia traduz-se pelo *realismo moral*.

Esse realismo tem três características: 1) é considerado bom todo ato que revela uma obediência às regras ou aos adultos que as impuseram; 2) é ao pé da letra, e não no seu espírito, que as regras são interpretadas; 3) há uma concepção objetiva da responsabilidade, ou seja, julga-se pelas consequências dos atos e não pela intencionalidade daqueles que agiram.

A fase subsequente de autonomia moral consistirá na superação desse realismo moral.

Vamos ver alguns exemplos para ilustrar esse desenvolvimento, começando pela situação envolvendo dano material apresentada anteriormente. A criança em fase de realismo moral julga mais culpado alguém que tenha quebrado dez copos sem querer do que alguém que somente tenha quebrado um durante uma ação ilícita. Vale dizer que julga pelo aspecto exterior da ação – o fato de ter quebrado muito ou pouco – e não pela intencionalidade desta.

Outro exemplo pode ser dado a respeito da mentira: a criança pequena julga mais culpado alguém que tenha distorcido a verdade de forma flagrante, embora sem querer enganar o próximo (dizer, por exemplo, que viu um "cachorro grande como um boi", para expressar um susto levado), do que alguém que tenha dito algo falso, mas verossímil, para levar algum proveito pessoal (por exemplo, alegar que está com dor de cabeça para fugir a alguma tarefa caseira). Nesse caso também se verifica que é "ao pé da letra" que o dever moral "não mentir" é compreendido: a mentira é vista como pura distorção da realidade, e não como intenção de obter benefício próprio ao enganar o outro.

Mais um exemplo confirma essa postura moral heterônoma. Qual será o mais culpado: alguém que *se engana* ao indicar o caminho a um transeunte levando este a se perder na cidade, ou alguém que pretende *enganá-lo*, mas sem sucesso (o transeunte acaba achando seu caminho apesar da informação enganosa que lhe foi dada)? Na fase de realismo moral, será o primeiro o mais culpado, porque o resultado de seu engano foi mais prejudicial que a mentira premeditada do segundo.

Por volta de 9, 10 anos em média, tal tendência se inverte, e o realismo moral é superado.

Verifica-se, portanto, que os dados encontrados com relação ao dever são coerentes com aqueles revelados pela pesquisa sobre as regras do jogo. A heteronomia, agora expressa pelo realismo moral, corresponde a uma fase durante a qual as normas morais ainda não são elaboradas, ou reelaboradas, pela consciência. Por conseguinte, não são entendidas a partir de sua função social. O dever significa tão somente obediência a uma lei revelada e imposta pelos adultos. As razões de ser dessas leis são desconhecidas; logo, não entram como critério para o juízo moral. Tal fato fica particularmente claro em relação à intencionalidade, elemento subjetivo essencial à nossa moralidade. A criança pequena não desconhece o fato de haver ações intencionais e outras casuais (o "sem querer"). Todavia, tal conhecimento ainda não comparece no seu universo moral, não existe como critério para julgar as ações próprias e as dos outros. Somente vai comparecer quando ela compreender os deveres como decorrentes de *obrigações mútuas* que implicam acordos entre as consciências e não mera conformidade das ações a determinados mandamentos.

Piaget termina suas pesquisas tratando do tema da justiça.

A JUSTIÇA

Escrevia Bergson que a noção de justiça é a mais instrutiva de todas as noções morais porque engloba todas as outras: ela envolve ideias matemáticas como as de proporção, peso, compensação, igualdade, e costuma ser evocada pela imagem da balança, símbolo da reciprocidade e do equilíbrio. Esses conceitos, bem familiares à teoria piagetiana, sugerem o motivo pelo qual Piaget resolveu fechar seu ensaio sobre moralidade infantil pelo estudo da justiça, a mais racional de todas as noções morais.

De fato, enquanto um dever *se cumpre*, a justiça *se faz*. Os deveres costumam vir em uma forma pronta e acabada, e como imperativos a ser obedecidos. A justiça representa mais um ideal, uma meta, portanto algo a ser conquistado, um bem a ser realizado. A cada momento deve-se decidir *como* fazer justiça, e, no mais das vezes, não existem procedimentos precisos para que se alcance o intento: deve-se, justamente, avaliar, pesar, interpretar as diversas situações e então decidir o que fazer. Até mesmo ideais aparentemente simples de ser definidos pedem muita reflexão para ser alcançados. É o caso do ideal da igualdade, que somente recebe sua plena expressão moral na equidade, ou seja, quando se procuram respeitar as condições particulares de cada um, e não mais apenas raciocinar pela identidade.

O capítulo dedicado por Piaget à noção de justiça é o maior do livro todo. Os temas abordados são: as justiças retributiva, distributiva, "imanente", a justiça entre crianças, a responsabilidade coletiva, a igualdade e a autoridade. E, novamente, Piaget encontrou uma fase de heteronomia anterior à de autonomia. Tal heteronomia traduz-se basicamente pelo seguinte fato: para a criança pequena, a justiça se confunde com a lei e com a autoridade.

Para exemplificá-lo, vamos falar apenas de três itens: a "justiça imanente", as sanções e a relação da justiça com a autoridade.

Todo crime será inelutavelmente castigado, mesmo que seja por forças da natureza: eis a ideia de justiça "imanente". Nela acreditam as crianças menores. Contasse-lhes a seguinte história: um menino, depois de roubar maçãs num terreno vizinho, passa por um pontilhão em mau estado e cai na água. Se não tivesse roubado as maçãs, teria ele mesmo assim caído no riacho? Uma criança de 7 anos, depois de comentar ter sido "bem-feito" ele cair na água, argumenta que foi um castigo acontecer esse "acidente", e que se não fosse o roubo nada teria ocorrido. Assim também reage a maioria das crianças de até 8 anos de idade. Para elas, a justiça retributiva (sanção) é algo que deve seguir inevitavelmente todo delito, e para isso a própria natureza se faz cúmplice do adulto. Existiria uma espécie de "mecânica universal" cujas engrenagens se põem em movimento sempre que algum crime é cometido; e o castigo aplicado é sempre uma severa sanção expiatória.

Sigamos com a questão das sanções. Piaget opõe dois tipos de sanção: as expiatórias (quando a qualidade do castigo é estranha àquela do delito; por exemplo, privar de sobremesa alguém que mentiu), e as por reciprocidade (por exemplo, excluir do grupo alguém que mentiu porque a mentira é justamente incompatível com a confiança mútua). Feita essa distinção, contou aos sujeitos histórias nas quais pais estavam em dúvida sobre a melhor forma de castigar um filho que havia cometido algum delito. Por exemplo, o que fazer com uma criança que mentiu: mandá-la copiar 50 vezes algum poema (sanção expiatória) ou avisá-la que, doravante, não se terá mais confiança nela (sanção por reciprocidade)? Em seguida, pede-se aos sujeitos que escolham o castigo "mais certo", que justifiquem sua opção e também que digam qual dos castigos é mais eficaz para evitar a reincidência no delito.

Os resultados das entrevistas foram eloquentes: quanto menos idade tem a criança, mais ela opta pelas sanções expiatórias. As sanções por reciprocidade pouco fazem sentido no seu universo moral. Escreve Piaget: "Fica claro que essas crianças não pensam em marcar, pela sanção, a ruptura do laço de solidariedade, ou em fazer sentir a necessidade da reciprocidade: há predominância nítida da sanção expiatória" (JM, p. 170). Além do mais, elas se mostram extremamente severas: mais duro o castigo, mais justo é. Finalmente, pensam que somente uma severa sanção expiatória é capaz de evitar a reincidência no delito.

Falta ver como relacionam justiça distributiva e autoridade. As histórias agora apresentadas descrevem uma situação em que um adulto comete claramente uma injustiça com uma criança. Por exemplo, uma mãe manda sistematicamente um de seus dois filhos comprar pão, porque o outro sempre reclama quando lhe pedem para fazê-lo. É certo a mãe agir assim?

As crianças menores estimam que a ordem adulta é "justa", pois provém de um adulto e deve ser obedecida. Em determinados protocolos, algumas crianças, a partir de 6 anos, já mostram sinais de que concebem a ordem materna injusta, mas mesmo assim preconizam como correta a obediência. Pode-se pensar que essas crianças estão numa fase de transição: já "sentem" a injustiça, mas ainda não acham moralmente lícito a ela se opor. A partir de 8, 9 anos em média, a desobediência já é vista como correta, ou seja, como ato legítimo quando há flagrante injustiça. Um sujeito de 12 anos aconselha uma viva discussão com a "autoridade": "Ela deveria ter dito a sua mãe: 'Não é justo, eu não devo fazer o dobro do trabalho que o outro'". Esse sujeito já separa a noção de justiça daquela de autoridade. É o traço essencial da autonomia moral.

AS DUAS MORAIS DA CRIANÇA E OS TIPOS DE RELAÇÃO SOCIAL

É com esse título que Piaget batiza seu capítulo de conclusões. Trata-se agora de explicar as razões pelas quais o desenvolvimento moral da criança passa por uma fase de heteronomia antes de alcançar a autonomia.

A estrutura do capítulo segue o modelo frequentemente empregado por Piaget nos seus livros: começar por discutir algumas teses clássicas a respeito do tema em tela, mostrar suas insuficiências e, finalmente, propor sua própria teoria. Os "adversários" também são bem conhecidos daqueles que leram os escritos de Piaget sobre o desenvolvimento da inteligência. No caso desta última, Piaget sempre procurou mostrar as lacunas e contradições das teses inatistas e ambientalistas. No caso da moral, uma vez que em psicologia ninguém propõe seriamente que o desenvolvimento seja dado de antemão pela própria "natureza humana", seus argumentos limitam-se a ir de encontro àqueles que o reduzem à mera interiorização, por parte da criança, de ideias e padrões de conduta impostos pela sociedade.

Vamos nos ater à discussão que Piaget trava com Émile Durkheim e com Pierre Bovet.

Para Durkheim[5], todo ato moral envolve obrigatoriamente dois aspectos: o *dever* e o *bem*. O dever corresponde ao sentimento de *obrigatoriedade* que experimentamos perante uma regra moral e que nos faz a ela obedecer. Escreve ele (1974a, p. 61): "Assim, há regras que apresentam esta característica particular: não realizamos certos atos por elas proibidos simplesmente porque elas o proíbem. É o que chamamos de caráter obrigatório da regra moral". Durkheim reconhece, pois, a existência de *imperativos categóricos* (o dever como um fim em si mesmo), como postulado por Kant. Todavia, ele se afasta do grande filósofo quando este, ao separar radicalmente Razão e Sensibilidade, nega que o respeito

---

5. Vamos nos basear em dois livros de Durkheim: *Sociologie et philosophie* (Paris: PUF, 1974a) e *L'éducation morale* (Paris: PUF, 1974b).

pelas regras possa ter qualquer raiz nas emoções, e o deduz, portanto, exclusivamente da Razão. "Perseguir um fim que nos deixa frios, que não nos parece bom, que não toca nossa sensibilidade, é psicologicamente impossível", escreve Durkheim (*ibidem*, p. 62). Logo, além de seu caráter de obrigatoriedade, toda regra moral tem também o caráter da "desejabilidade", ou seja, os objetos dos diversos deveres precisam, de alguma forma, aparecer como atraentes, como bons (e não apenas imperativos), para que sejam obedecidos. Em resumo, o *dever* e o *bem* são dois aspectos indissociáveis da moral, e não se pode procurar derivar um do outro.

No entanto, Durkheim está consciente de que o fato de aliar obrigatoriedade a "desejabilidade" pode constituir uma contradição. Escreve ele: "Jamais do desejável poderemos obter a obrigação, uma vez que o caráter específico da obrigação é, em alguma medida, o de violentar o desejo (*ibidem*, p. 65). Para resolver essa questão, ele lembra que tal dualidade se encontra também em outra noção de importância fundamental para o ser humano: a noção de *sagrado*. De fato, o objeto sagrado é, por um lado, um objeto que inspira medo e respeito – portanto, um objeto que nos *impõe* certas condutas; e, por outro, ele é objeto de amor, de *desejo*. Tal aproximação entre as noções de sagrado e de moral corresponde a outra, entre moral e religião. Embora sem se confundirem, Durkheim sustenta que as duas noções devem ser pensadas em conjunto, uma vez que estiveram intimamente ligadas durante tantos séculos.

No campo específico da moral, qual será então o objeto que desperta no ser humano esse sentimento do sagrado, esse sentimento complementar de obrigatoriedade e desejo? Para Durkheim, tal objeto é a *sociedade*:

Porque a sociedade é, ao mesmo tempo, fonte e guardiã da civilização, porque ela é o canal pelo qual a civilização chega até nós, ela nos aparece como uma realidade infinitamente mais rica, mais alta que a nossa individual, uma realidade de onde vem tudo o que é importante a nossos olhos e que, no entanto, nos ultrapassa, porque destas riquezas intelectuais e morais, das quais ela guarda o depósito, apenas algumas parcelas chegam até cada um de nós. [...] Ao mesmo tempo que nos ultrapassa, está dentro de nós, já que não pode viver a não ser em nós e por nós. (*Ibidem*, p. 73-74)

A sociedade[6] é, por conseguinte, exterior a nós, superior, poderosa, e "a distância moral que há entre ela e nós faz dela uma autoridade perante a qual nossa vontade se inclina" (sentimento de obrigatoriedade, portanto o *dever*). E a sociedade está também dentro de nós, ela é nós, e assim a amamos, nos sentimos a ela apegados, ou seja, a desejamos (sentimento de "desejabilidade", portanto o *bem*).

Finalmente, Durkheim aborda a questão da autonomia moral. Ele está consciente de que seu lugar é problemático, uma vez que colocou a fonte da moral na sociedade em algo exterior ao indivíduo. Referindo-se às regras morais, escreve que "elas não são nossa obra, e, por conseguinte, conformando-nos a elas, obedecemos a uma lei que não fizemos" (1974b, p. 94). Para equacionar a questão, Durkheim toma como exemplo a relação do homem com as leis físicas, das quais, com toda evidência, a Razão humana não é legisladora. No

---

6. É preciso lembrar que, para Durkheim, a sociedade não é equivalente a um somatório de indivíduos; ela é um todo original em relação às partes que a compõem. Para exemplificar seu pensamento, ele emprega uma metáfora química: o bronze, que é duro, é composto de estanho e de cobre, corpos moles e flexíveis; portanto, as qualidades do bronze não equivalem à soma das qualidades dos elementos que o compõem.

caso, nossa autonomia reside em conhecer racionalmente tais leis, compreender que elas representam a *ordem das coisas no mundo físico* e que nada podemos fazer de melhor a não ser respeitá-las. Vale dizer que, no presente caso, a Ciência é a fonte de nossa autonomia, pois – graças a seu saber – podemos aderir às diversas leis *com conhecimento de causa.* Ora, no caso da moral, o raciocínio é o mesmo. A Razão do indivíduo, que não é legisladora das leis do mundo físico, também não o é do mundo moral, uma vez que tal poder cabe à Sociedade, entendida como "sujeito coletivo". Todavia, cada um de nós pode, pela ciência moral, compreender as razões de ser de tais leis e assim, conscientemente, respeitá-las. "Pelo fato de nosso consentimento esclarecido, a limitação [a nós imposta pelas regras morais] deixa de ser uma humilhação, uma servidão" (*ibidem*, p. 99). Autonomia moral significa querer deliberadamente, ou seja, com conhecimento de causa, o que a sociedade criou e nos impôs.

Dessa concepção, Durkheim retira algumas decorrências no que tange à educação moral. Elas ilustram bem seu ponto de vista; por isso, vamos apontar os aspectos essenciais:

- a educação moral não deve se restringir a uma aula específica, mas deve estar presente a todo momento, estar integrada a toda a vida escolar, pois ela é parte de toda a trama da vida coletiva;
- o desenvolvimento moral das crianças depende da ação dos adultos, dos pais e sobretudo dos mestres na escola. "É do mestre que tudo depende", escreve o autor;
- o mestre deve ensinar uma moral precisa, a de sua sociedade, com exemplos e modelos. "Não devemos formar a criança em vista de uma moral que não existe, mas

sim em vista da moral como ela é ou tende a ser" (*ibidem*, p. 48);

- portanto, o mestre deve *impor* uma determinada moral. Isso não significa dizer que não deva explicar as suas razões de ser; mas nunca pode abrir mão de sua posição de autoridade – e, por conseguinte, será severo, inflexível no que tange ao respeito dos alunos pelas regras ensinadas;

- deve-se desenvolver, na criança, *o espírito de disciplina*, ou seja, o gosto pela regularidade, pois "toda moral repousa sobre esta regularidade". Assim, desenvolve-se a base para o sentimento da obrigatoriedade com relação às regras morais, as quais são uma espécie de barreira "aos pés da qual as águas das paixões humanas vêm morrer sem poder seguir adiante";

- deve-se fazer uso de sanções. Elas não visam infligir dor física (Durkheim é radicalmente contra os castigos corporais) ou simplesmente condicionar as crianças a agir corretamente por medo das consequências desagradáveis do castigo. O seu efeito deve ser incidir diretamente na consciência da criança: graças às sanções, o punido toma consciência de que uma "coisa sagrada" (a moral) foi por ele profanada. Consequentemente, a sanção mais eficaz é a *reprovação ou censura* (*le blâme*), que deverá ser aplicada de maneira *fria* pelo mestre para ressaltar o caráter impessoal da regra moral;

- finalmente, deve-se desenvolver na criança o apego aos grupos sociais (caráter de "desejabilidade" da regra moral). "Para se entregar a um grupo, é preciso amar a vida em grupo", escreve Durkheim. Isso não se consegue apenas com os discursos do mestre, mas sobretudo pela participação efetiva da criança em vários grupos, notadamente na escola.

Há pelo menos três razões que levaram Piaget a eleger o famoso sociólogo como "adversário" teórico. Em primeiro lugar, temos a importância de Durkheim no cenário das Ciências Humanas; em segundo, o fato de esse autor defender claramente que o desenvolvimento intelectual e moral decorre de uma interiorização, pela criança, da cultura vigente. Ora, o construtivismo de Piaget, ainda nascente quando escreveu *Le jugement moral*, visa oferecer outra concepção, na qual o sujeito participa ativamente de seu desenvolvimento moral e intelectual e na qual uma autonomia possível do indivíduo perante a sociedade é postulada e defendida. Em último lugar, devemos lembrar que está presente, no final do século 19 e no começo do século 20, a necessidade de construir as bases para uma moral laica coerente com a democracia. Durkheim refere-se frequentemente à "crise moral" por que passa, na sua época, a sociedade europeia; os grandes dogmas religiosos perderam sua força, então é preciso substituí-los. Ele confia na ciência, única sabedoria humana capaz de levar a cabo essa tarefa. O livro de Piaget sobre julgamento moral também tem esse objetivo científico. Mas, enquanto Durkheim aparece como reformador da educação moral tradicional (resgatando os lados para ele positivos da religiosidade), Piaget opta por uma ruptura pedagógica, fato ilustrado por sua nítida simpatia pelo movimento da Escola Ativa.

Vamos ver agora como Piaget se contrapõe às ideias de Durkheim.

Antes de mais nada, é preciso frisar que Piaget concorda com Durkheim num ponto essencial: a moral é um fato social, e, portanto, uma consciência puramente individual não seria capaz de elaborar e respeitar regras morais. Todavia, Piaget recusa-se a considerar, sem mais, como o faz Durkheim, a sociedade um "ser" ("ser coletivo"). Para ele, assim como não existe O Indivíduo, pensado como unidade isolada, também não há A Sociedade, pensada como um todo ou um ente ao qual uma só palavra pode remeter. Existem, isso sim, *relações interindividuais*, que podem ser diferentes entre si e, por conseguinte, produzir efeitos psicológicos diversos. Piaget divide as relações interindividuais em duas grandes categorias: a *coação* e a *cooperação*.

A relação de *coação*, como seu nome indica, é uma relação assimétrica, na qual um dos polos impõe ao outro suas formas de pensar, seus critérios, suas verdades. Em uma palavra, é uma relação em que *não existe reciprocidade*. Pode-se também dizer que é uma relação *constituída*, no sentido de que suas regras são dadas de antemão e não podem nem devem ser construídas pelos diferentes participantes (eles não podem ser "legisladores"). Tal coação não deve ser obrigatoriamente entendida como uma tirania conscientemente exercida por alguém ou por um grupo: pode ser decorrência de algum tipo de organização institucional, cuja origem talvez esteja na necessidade de algum grupo de controlar o poder social, mas que, no decorrer dos anos ou dos séculos, manteve-se pela tradição. Aliás, toda tradição pode configurar uma relação de coação, pois as razões que levam a respeitá-la costumam limitar-se à afirmação de que *tem de ser assim pois sempre foi assim* (relação constituída). Um bom exemplo de relação social de coação é dado pela família: por mais que os pais procurem não ser "autoritários", as dependências vital, afetiva e cognitiva de seus filhos pequenos definem uma relação assimétrica. Mas, evidentemente, nem tudo é coação entre pais e filhos: "Existe uma afeição espontânea que leva a criança, desde o começo, a atos de generosidade e mesmo de sacrifício, a demonstrações tocantes que não são prescritas" (JM, p. 155). Para Piaget, as relações de coação são contraditórias com o desenvolvimento intelectual das pessoas a elas submetidas. No caso específico das crianças, ela reforça o egocentrismo – que, entre outras coisas, representa justamente a dificuldade de se colocar no ponto de vista do outro e assim estabelecer com ele relações de reciprocidade. A coação impede, ou simplesmente não pede, que tal reciprocidade ocorra, e, portanto, não possibilita à criança construir as estruturas mentais operatórias necessárias à sua conquista. Numa relação de coação, a criança está condenada *a muito crer e a nada saber*, como escrevia Rousseau. No que tange à moral, na coação, há somente respeito unilateral (pelas leis impostas ou pelas autoridades que as revelaram e impuseram), além de uma assimilação deformante das razões de ser das diversas regras (realismo moral). Em uma palavra, da coação deriva-se a *heteronomia moral*.

As relações de *cooperação* (co-operação, como às vezes escreveu Piaget para sublinhar a etimologia do termo) são *simétricas*; portanto, regidas pela *reciprocidade*. São relações *constituintes*, que pedem, pois, mútuos acordos entre os participantes, uma vez que as regras não são dadas de antemão. Somente com a cooperação o desenvolvimento intelectual e moral pode ocorrer, pois ele exige que os sujeitos se *descentrem* a fim de compreender o ponto de vista alheio. No que tange à moral, da cooperação derivam o *respeito mútuo* e a *autonomia*. Para Piaget, as relações entre crianças promovem a cooperação, justamente por se configurarem como relações a ser constituídas entre seres iguais.

Armado desses conceitos e de seus dados de pesquisa, Piaget se opõe às interpretações de Durkheim. A divergência central é a seguinte: enquanto Durkheim, inspirado pela sua concepção de sociedade entendida como um "ser", afirma a unidade dos fatos morais e identifica uma mesma origem para as noções do *dever* e do *bem*, Piaget, inspirado por outra concepção de sociedade, vista por ele como conjunto de relações interindividuais que podem ser de coação *ou* de cooperação, nega a unidade dos fatos morais (fala em duas morais, a da coação e a da cooperação) e afirma que as noções do *dever* e do *bem* têm origens e gêneses diferentes. Para Piaget, *a gênese do sentimento de obrigatoriedade, portanto do dever, encontra-se nas relações de coação; o bem, por sua vez, é um produto da cooperação.*

É por essa razão que Piaget escreve que "tudo o que ele [Durkheim] disse é profundamente verdadeiro, mas permanece incompleto".

Como podemos deduzir, o que Piaget guarda da teoria de Durkheim é sua explicação para a gênese da noção de dever. Escreve ele:

> Parece-nos incontestável não somente que o conjunto dos deveres numa sociedade dada está ligado à estrutura desta sociedade, mas ainda que a forma mesma do dever (o sentimento de obrigação) está ligada à coação exercida pela sociedade sobre os indivíduos. (JM, p. 280)

Os dados encontrados nas entrevistas confirmam isso: no início do desenvolvimento moral, quando a criança ainda está submetida a uma relação de coação, *tudo é dever e obediência ao dever*. Encontra-se esse sentimento do *sagrado*, ilustrado pela interpretação da imutabilidade das regras (até mesmo as dos jogos) e pela opção por sanções expiatórias, expressão de uma *autoridade* que tem legitimidade para impor sofrimentos diversos aos infratores. Piaget reconhece que, em algumas pessoas, tal dominância permanecerá a vida toda; e às expressões infantis do realismo moral sucederão outras, mais elaboradas, mas de mesmo caráter (penso, aqui, no legalismo de alguns adultos que só conseguem raciocinar moralmente a partir de um conjunto de regras estabelecidas socialmente, preconizando a simples obediência e condenando qualquer forma de "desobediência civil"). Em resumo, as relações de coação explicam a dominância da noção do dever. Portanto, tais relações, claramente preconizadas por Durkheim para a educação moral, são condição necessária para o desenvolvimento moral.

Todavia, não são condição suficiente. De fato, como explicar somente pela coação a evolução moral notada nas crianças, evolução essa caracterizada pela superação do realismo moral, pela conquista da autonomia, pela troca do respeito unilateral pelo respeito mútuo, pela dissociação entre as noções de obediência e justiça – em suma, pela inversão de hierarquia entre dever e bem? Na heteronomia, o dever determina o bem (é bom o que é conforme às regras aprendidas), na autonomia, o bem determina o dever (deve-se agir de determinada forma porque é bom). Para Piaget, somente as relações de cooperação possibilitam tal evolução.

Para defender essa ideia, ele lembra que a noção de bem pode ser independente da noção de dever. Escreve ele:

> Não há sentimento de dever sem "desejabilidade", logo, sem um certo sentimento do bem. A razão disso é clara: o respeito unilateral, que é a fonte da consciência do dever, consiste em uma combinação *sui generis* de medo e amor, a qual implica por conseguinte um elemento de "desejabilidade". Mas a recíproca não é verdadeira: há ações boas sem elemento de obrigação. (JM, p. 281)

Enquanto o dever é dado como algo a ser respeitado e cumprido, o bem aparece como uma *aspiração*, como um *ideal*, ou seja, como algo que não inspira essa combinação de medo e amor – que é qualidade do sagrado –, mas é essencialmente *racional*. E esse ideal comporta certa margem de elaboração pessoal e, às vezes, pode ir de encontro ao *modus vivendi* ou à opinião dominante em determinado momento. Como, então, explicar a possibilidade da noção de bem sem, por um lado, recorrer a uma solução puramente individual (negando o aspecto social do fenômeno), e, por outro, sem limitar-se a pensar relações de coação? Dito de outra forma, como dar conta da ideia de bem sem perder de vista a necessidade de uma "moral comum"?

Aqui comparece justamente a ideia de cooperaçao, oposta à de coação. De fato, é fácil compreender como esta última garante uma "moral comum": sendo a moral exterior aos indivíduos e imposta a eles pela sociedade, cabe a cada um procurar adequar-se da melhor forma possível a esse padrão de comportamento; vale dizer que as diferenças individuais serão sempre vistas como inadequações parciais em relação à norma comum. Na coação trata-se, portanto, de "fazer como os outros", seguindo-se o critério da semelhança. Na cooperação, no entanto, o critério é outro: é o da reciprocidade, o que não significa "fazer igual ao outro", mas coordenar o ponto de vista próprio com o ponto de vista do outro. O bem, a respeito do qual cada indivíduo chega com uma perspectiva pessoal, é redefinido na relação de cooperação pela mútua coordenação das diferentes perspectivas em jogo. O equilíbrio social não se dá mais, portanto, pela padronização dos comportamentos, mas sim pela coordenação das diferenças existentes. "Nesse caso, cada perspectiva individual pode ser diferente das outras e mesmo assim ser adequada e não comprometer a coerência do conjunto" (JM, p. 282). Estão assim garantidas a autonomia e a "moral comum", esta última em constante modificação.

Em uma palavra: enquanto a coação fornece um modelo (um conteúdo) a ser seguido, a cooperação fornece um *método* (uma forma). O bem não é definido de antemão, mas poderá nascer ou se renovar a cada experiência de cooperação. Para Piaget, os ideais democráticos, que incluem valores abstratos como a dignidade pessoal e o respeito pelo ponto de vista alheio, pressupõem justamente a existência desse método.

E ele nos traz as crianças por ele entrevistadas como prova de que suas análises são corretas. Por exemplo, no caso das punições, começam por optar pelas sanções expiatórias para, no decorrer do desenvolvimento, preferir aquelas que explicitam o rompimento da reciprocidade. No caso da justiça, começam a identificá-la com a autoridade, com a tradição, para, em seguida, empregar os critérios da igualdade e da equidade para julgar cada caso. Finalmente, nos jogos, começam por conceber as regras como sagradas para, depois, vê-las como contratos que têm valor por permitirem a mútua coordenação das diferentes perspectivas e ações.

Evidentemente, Piaget acaba por contrapor-se claramente aos conselhos pedagógicos de Durkheim. Concorda com ele quando afirma que a educação moral se dá a todo instante na participação social da criança. Mas discorda por completo quando é afirmado que somente a imposição da autoridade, a relação mestre/aluno, a apresentação de modelos precisos possibilitam o desenvolvimento moral. Para Piaget, tal método coercitivo é inevitável e necessário no início da educação moral, mas se permanecer exclusivo vai encurralar a criança na heteronomia. Para favorecer a conquista da autonomia, a escola precisa respeitar e aproveitar as relações de cooperação que espontaneamente nascem das relações entre crianças. E os próprios mestres também devem descer de seus pedestais. Em sua argumentação, Piaget refere-se frequentemente à Escola Ativa e ao princípio do *self--government*: os resultados pedagógicos obtidos confirmam, segundo ele, suas teses.

Falta ver como Piaget discute as ideias de Bovet. Na verdade, só há um elemento novo em relação à discussão com Durkheim. Enquanto este último sempre se refere à relação de cada indivíduo com a sociedade, Bovet, como Piaget, pensa em relações entre indivíduos. Na gênese do desenvolvimento moral, o primeiro passo será o respeito que a criança pequena sente pelo adulto, sentimento este composto de *amor* e *medo*. Vale dizer que ela respeita as regras impostas porque respeita quem as impôs. E, no decorrer do desenvolvimento, ocorre uma transferência desse sentimento primitivo de respeito para ideais sociais. Além do mais, em função de um número cada vez maior de experiências sociais,

> as normas se entrecruzam, se contradizem mais ou menos, e, mais numerosos são os indivíduos respeitados, mais aquele que respeita deve conciliar as obrigações divergentes. A Razão é levada, por conseguinte, a introduzir na consciência moral a unidade necessária: é em função desse trabalho que é conquistado o sentido da autonomia pessoal. (JM, p. 304)

Piaget simpatiza com as ideias de Bovet pois, como vimos, estas levam em conta as relações entre os indivíduos, e não somente a relação entre cada indivíduo e a "sociedade". Todavia, Piaget reencontra as mesmas divergências que o opõem a Durkheim quando Bovet baseia todo respeito moral nos sentimentos de medo e amor. Escreve ele: "Se todo dever emana das personalidades superiores a ela, como a criança adquirirá uma consciência autônoma? Se não superarmos a moral do puro dever, tal evolução parece-nos inexplicável" (JM, p. 308). Mais para a frente, dá sua explicação:

> O elemento quase material de medo, que intervém no respeito unilateral, desaparece progressivamente para deixar lugar ao medo essencialmente moral de decair aos olhos do indivíduo respeitado: a necessidade de ser respeitado equilibra, por conseguinte, aquela de respeitar, e a reciprocidade resultante dessa nova relação é suficiente para aniquilar todo elemento de coação. (JM, p. 309)

Em resumo, a teoria de Bovet, como a de Durkheim, é correta para explicar o início do desenvolvimento moral da criança; todavia, comete o erro de confundir duas morais, a da coação e da cooperação. Somente a última permite a autonomia necessária à construção e consolidação do mundo democrático.

Analisemos agora que implicações a teoria piagetiana tem no que tange à relação entre cognição e afeto.

AFETIVIDADE E INTELIGÊNCIA NA TEORIA PIAGETIANA DO DESENVOLVIMENTO DO JUÍZO MORAL

Antes de mais nada, é necessário fazer uma ponderação a respeito do alcance dos dados coletados por Piaget e das considerações teóricas decorrentes. Como já dissemos, as entrevistas realizadas somente nos autorizariam a afirmar que o *juízo moral* se desenvolve passando por uma fase de heteronomia antes de alcançar a autonomia. Mas, com exceção do jogo de regras, nada foi pesquisado a respeito do *comportamento moral*. Desse fato deriva naturalmente uma grave suspeita: será que o menino de 12 anos que nos faz um belo e coerente discurso sobre as noções de igualdade e reciprocidade, que coloca a justiça como ideal querido, que prega o respeito mútuo realmente age seguindo os preceitos por ele defendidos? A rigor, atendo-nos aos dados apresentados, nada podemos responder com certeza sobre essa questão. E nossa suspeita pode agravar-se ainda mais se olharmos ao nosso redor e repararmos que algumas pessoas de comportamento claramente desonesto são capazes dos mais comoventes discursos sobre justiça social, democracia etc.

Duas opções se nos apresentam. A primeira é admitir que seja normal haver, no ser humano, uma cisão entre ação e juízo. É aproximadamente o pressuposto do dito popular "faça o que eu digo, não faça o que eu faço". A segunda opção é negar que tal cisão ocorra frequentemente. A opção de Piaget parece nitidamente ser a segunda. Embora, na introdução de seu livro, ele tenha advertido o leitor de que não contemplará, nas suas pesquisas, a prática moral, vê-se que, nas suas conclusões gerais, ele não mantém essa fronteira entre juízo e ação. Quando, por exemplo, contrapõe-se às ideias de Durkheim sobre educação moral, Piaget não hesita em propor novas atitudes pedagógicas que, segundo ele, são as únicas possíveis para levar o futuro cidadão a *cumprir* o ideal libertário e democrático – e não apenas para levá-lo a ser competente orador ou competente juiz. Em uma palavra, embora restringindo-se empiricamente a recolher discursos morais, Piaget elabora uma teoria que contempla a ação moral. É importante sublinhar tal fato porque é sobretudo na ação moral que se confrontam afetividade e Razão. É o que vamos passar a analisar agora.

Voltemos à oposição clássica ilustrada pelas personagens Fedra e Rodrigo. Na primeira, vence a paixão; na segunda, a moral. Das duas, somente a segunda é problemática para a ciência psicológica.

De fato, Fedra, abstraindo a situação limite na qual o autor a colocou, é, por assim dizer, "velha conhecida" de qualquer ser humano: a força avassaladora, incontrolável das paixões (sobretudo aquelas amorosas, prenhes de sexualidade) é fato corriqueiro, inegável. Tanto é verdade que o aforismo de Pascal "o coração tem razões que a própria Razão desconhece" tornou-se – notadamente no Brasil – provérbio. Há algo de admirável em Fedra, e é por essa razão que cada um identifica-se secretamente com ela, aspirando a sentir amor tão forte, emoção tão violenta. Todavia, as "Fedras" em geral são condenadas moralmente porque se fixam exclusivamente na busca da realização dos seus desejos; porque, nessa busca, ignoram interesses alheios ou chegam a utilizar os outros como meio para atingir o fim almejado. Em suma, condenam-se as "Fedras" porque agem de forma *egoísta*. E isso é válido para qualquer interesse pessoal: a busca do prazer, do prestígio, do dinheiro etc. A racionalidade comparece para permitir a satisfação do desejo; mas ela está, por assim dizer, em segundo plano, está a serviço de um afeto. Talvez seja preciso demonstrar inteligência para realizar um projeto; não tanto para identificar um desejo e resolver saciá-lo.

Enquanto Fedra é profundamente "humana", Rodrigo apresenta-se mais como "sobre-humano". Há muitas "Fedras", há poucos "Rodrigos". Ele é raro como são raros aqueles homens capazes de transformar um ideal num fato. Rodrigo é herói moral. Encontram-se, na vida cotidiana, pessoas como ele?

Se também abstrairmos a situação-limite na qual o autor o fez decidir e agir, a resposta é evidentemente afirmativa. Do contrário, a vida em sociedade seria praticamente impossível. Toda educação moral visa justamente fazer que as crianças sejam capazes de controlar seus sentimentos, seus desejos, em nome de um ideal social ou grupal. É ao que se refere Durkheim quando escreve que o espírito de disciplina, base de toda moral, é a barreira "aos pés da qual as águas das paixões humanas vêm morrer sem poder seguir adiante". E, agora, o lugar da Razão é outro: ela coloca seus imperativos; a partir da ponderação do que é certo ou errado, do que é bom ou ruim, do que é justo ou injusto, são seus ditames que orientam a ação.

Mas como explicar, psicologicamente, esse aparente domínio da Razão?

Quando se trata de analisar o domínio dos afetos, nada parece haver de muito misterioso: a afetividade é comumente interpretada como uma "energia", portanto como algo que impulsiona as ações. Vale dizer que existe algum interesse, algum móvel que motiva a ação. O desenvolvimento da inteligência permite, sem dúvida, que a motivação possa ser despertada por um número cada vez maior de objetos ou situações. Todavia, ao longo desse desenvolvimento, o princípio básico permanece o mesmo: a afetividade é a mola propulsora das ações, e a Razão está a seu serviço.

Todavia, na área moral, a noção de interesse se torna mais problemática. Frequentemente devemos agir *contra* nossos interesses ou móveis pessoais. É, aliás, nesses casos que em geral se identifica uma ação moral. Quero saciar minha fome ou obter determinado prazer para o qual minha afetividade me inclina, *mas* contenho-me porque considero moralmente correto não roubar ou não usar outras pessoas para saciar meus apetites. Agora, se deixo de roubar por *medo* da prisão, estou seguindo um interesse pessoal, um puro afeto, e minha conduta, embora correta na prática, não poderá ser considerada moral. Se faço o bem a alguém de quem eu goste, também não haverá muito valor moral nesse ato pois ainda estou agindo na dependência de um sentimento pessoal, e nada garante que agiria assim perante um estranho. É por esse motivo que se fala em *desinteresse* quando se trata de avaliar uma ação moral. Segue-se a norma porque é *avaliada como boa*, e não porque nos *agrade* de alguma outra forma.

Mas como será possível alguém agir apenas em função de uma avaliação racional? Dito de outra forma: será a Razão uma força psicológica? Algum tipo de energia?

Tal é a solução kantiana. Escreve ele na *Crítica da razão prática*[7] que "não se deve admitir uma espécie particular de sentimento que seria exterior à lei moral e lhe serviria de fundamento" (Kant, 1943, p. 78). Para ele, "o respeito pela lei moral é um sentimento produzido por um *princípio intelectual*, e esse sentimento é o único que conhecemos perfeitamente *a priori* e do qual podemos perceber a necessidade" (*ibidem*, p. 77, grifo meu). Vale dizer que o respeito pela lei é "exclusivamente produto da Razão" (*ibidem*, p. 80).

Verifica-se que essa solução traz enormes problemas para o saber psicológico. De fato, o dualismo afetividade/Razão é fácil de ser compreendido quando os dois termos são entendidos como complementares: a afetividade seria a energia, o que move a ação, enquanto a Razão seria o que possibilitaria ao sujeito identificar desejos, sentimentos variados, e obter êxito nas ações. Nesse caso, não há conflito entre as duas partes. Porém, pensar a Razão *contra a afetividade* é problemático porque então dever-se-ia, de alguma forma, dotar a Razão de algum poder semelhante ao da afetividade, ou seja, reconhecer nela a característica de móvel, de energia. E o próprio Kant admitia: "Saber como uma lei pode ser, por ela mesma e imediatamente, princípio determinante para a vontade é um problema insolúvel para a Razão humana" (*ibidem*, p. 76).

Durkheim traz uma solução coerente para o problema. Com Kant, ele reconhece o papel da Razão: é ela que intervém quando se trata de estabelecer quais são os deveres, quando se trata de lembrá-los na hora de conter um forte desejo. Mas, contra Kant, ele afirma que não pode haver ação

---

7. KANT, I. *Critique de la raison pratique*. Paris: PUF, 1943. [Edição em português: *Crítica da razão prática*. São Paulo: Brasil Editora, 1959.]

sem um elemento de "desejabilidade", portanto sem algum afeto que deve ser *mais forte* do que os outros e não pode ser reduzido a uma expressão da Razão. Por esse motivo ele introduz o sentimento do *sagrado*. Solução parecida será a de Bovet (o respeito pela regra moral é um misto de amor e medo). Não há mais, dessa forma, oposição radical entre afetividade e Razão pois, por detrás dos ditames da segunda, permanece existindo a primeira. Age-se moralmente, *guiado* pela Razão e *movido* pelo sentimento do sagrado do qual provém o sentimento de obrigatoriedade.

Qual é a solução de Piaget?

Como vimos, Piaget concorda com Durkheim e Bovet para explicar *o início* do desenvolvimento moral da criança: na moral da heteronomia, o respeito pelas regras morais é realmente inspirado pelos sentimentos de medo, amor, sagrado. No entanto, tais sentimentos desaparecem da moral da autonomia quando o respeito unilateral anterior é substituído pelo respeito mútuo. Mas, então, o que move alguém a agir em função do respeito mútuo? Se não for mais o medo do outro, o amor sentido por ele, se não for mais uma espécie de admiração irracional pela sociedade – entendida como "ser coletivo" –, o que é então?

Para Piaget, o que move as ações da moral autônoma é esse "sentimento", todo racional, da *necessidade*. Escreve ele: "Todo mundo notou o parentesco que existe entre as normas morais e as normas lógicas: a lógica é uma moral do pensamento, como a moral é uma lógica da ação" (JM, p. 322).

Necessário significa "aquilo que não pode não ser". Por exemplo, *tenho absoluta certeza* de que a = c, dado que a = b e b = c. Não posso não admitir que a = c seja *verdade*. Vale dizer que minha consciência é *obrigada* a admiti-lo, pois se trata de uma evidência subjetiva. Ora, para Piaget, o desenvolvimento de tal capacidade de raciocínio lógico é exatamente paralelo ao desenvolvimento moral.

Essa capacidade e o "sentimento" de que os produtos das deduções lógicas são necessários não são dados *a priori*, mas fruto de uma construção psicológica. As raízes dessa construção encontram-se em disposições já presentes na criança bem pequena.

> Há no funcionamento das operações sensório-motoras uma busca de coerência e de organização: ao lado da incoerência de fato, própria aos procedimentos da inteligência elementar, devemos admitir a existência de um equilíbrio ideal, indefinível a título de estrutura, mas implicado nesse funcionamento. (JM, p. 323)

Esse equilíbrio ideal será paulatinamente conquistado por meio de sucessivas tomadas de consciência (*abstração reflexiva*, termo que Piaget ainda não emprega em JM[8]) que traduzem em estruturas o que era, no início, puro funcionamento. Mas tais tomadas de consciência não dependem apenas de uma "vontade" inata do sujeito. Antes, são solicitadas pelo meio social, contanto que as relações desse meio sejam de cooperação. "A crítica nasce da discussão e a discussão só é possível entre iguais: somente a cooperação realizará o que a coação é incapaz de fazer" (JM, p. 326). Como a coação impõe, ela não possibilita o desenvolvimento do raciocínio, uma vez que aquilo que foi imposto permanece exterior à consciência, permanece apenas uma coisa na qual *se acredita*.

---

8. Veja PIAGET, J. *L'équilibration des structures cognitives*. Paris: PUF, 1974. [Edição portuguesa: *O desenvolvimento do pensamento: a equilibração das estruturas cognitivas*. Lisboa: Dom Quixote, 1977.]

Não basta, para que possamos falar em verdade racional, que o conteúdo das afirmações seja conforme à realidade: é preciso ainda que esse conteúdo tenha sido obtido por um procedimento ativo da Razão, e que a Razão mesma seja capaz de controlar o acordo ou o desacordo de seus juízos com a realidade. (JM, p. 325)

A criança pequena pode *acreditar* que a = c se a = b e b = c, seja porque uma autoridade lhe disse isso, seja porque limitou-se a verificá-lo empiricamente. A Razão lhe permitirá, mais tarde, ter uma certeza subjetiva, autônoma, de que a igualdade deduzida é verdadeira.

Para o desenvolvimento do juízo moral, a explicação de Piaget é a mesma: "A lógica não é coextensiva à inteligência, mas consiste num conjunto de regras de controle empregadas pela inteligência para dirigir-se a si mesma. A moral desempenha papel análogo em relação à vida afetiva" (JM, p. 323). Enquanto a coação impõe regras que a criança segue porque acredita que sejam boas, porque as interpreta como sagradas ou sente pelas autoridades que as ditaram medo e/ou amor, a cooperação permite que a "autoridade soberana" seja criticada em nome da Razão, permite que o sujeito acabe por considerar subjetivamente necessárias (portanto, obrigatórias) algumas regras e não outras. Vale dizer que os sentimentos do sagrado, de medo e de amor não precisam ser evocados para explicar a moral autônoma. Escreve Piaget para criticar a posição de Durkheim:

Porque quer assimilar uma à outra coação e cooperação ou dever e bem, ele acaba por identificar duas noções antitéticas da obrigação: a submissão heterônoma da Razão ao "ser" (coletivo) e a *necessidade interior à Razão mesma*. Que a obrigação, no primeiro sentido do termo – o dever enquanto implicando o sentimento de autoridade como tal e o respeito unilateral –, seja exterior à moralidade, é decorrência lógica da crítica kantiana, mas é também a consequência natural da moral da cooperação. Uma tal tese só é chocante para aqueles que permanecem incapazes de experimentar neles próprios *essa obrigação superior e puramente imanente que constitui a necessidade racional.* (JM, p. 298, grifo meu)

Vamos agora ponderar a validade da explicação piagetiana. Parece-me haver duas grandes virtudes na teoria piagetiana sobre moral.

A primeira diz respeito à autonomia do sujeito. Se a liberdade do indivíduo for, como quer Durkheim, apenas reconhecimento consciente de leis que o transcendem, de leis que, como aquelas que regem o universo físico, independem por completo da vontade dos agentes sociais, é preciso convir que tal heteronomia encolhe consideravelmente a própria ideia de liberdade. Chega até a negar sua própria possibilidade. Em consequência, a ideia de responsabilidade também fica prejudicada, pois na fonte de cada ação haveria algo meramente interiorizado, algo de que o sujeito da ação não participou. Por exemplo, se as regras de meu país ou grupo social forem tirânicas, injustas, serei eu também tirânico e injusto. Que culpa tenho eu, já que o "ser coletivo" que me inspira respeito é, por algum motivo sociológico, assim? O resgate, em Piaget – seguindo Kant –, do papel ativo e legislador da Razão e da decorrente autonomia corresponde a uma necessidade teórica. Por um lado, pela problemática própria à moral. "Como devo agir?" – essa é a pergunta central. Ora, ela pressupõe alguém que vai decidir e que será julgado pelas suas decisões. Nesse sentido é-lhe, de certa forma, conferida *a priori* uma autonomia. E na hora da decisão, se apenas comparecerem argumentos do tipo "ajo assim porque todo mundo sempre agiu e age assim", ou "ajo dessa forma porque alguém ou algum 'texto' exige que eu me conduza dessa forma", somos obrigados a reconhecer que o real "responsável moral" é a sociedade ou a autoridade constituída. Dito de outra forma, a heteronomia desqualifica o sujeito moral, pois o considera uma espécie de "exemplar" de uma categoria mais ampla. Por outro lado, é inegável o papel da Razão nas condutas morais individuais: somente sua presença pode explicar por que certas pessoas, em determinados momentos, tomam decisões que contrariam a moral do grupo a que pertencem ou se erguem contra autoridades até então incontestadas – como no caso da criança que, a partir de certa idade, insurge-se contra as injustiças dos pais. Elas "não se conformam" com tal moral e resolvem, em sã consciência, a ela se opor e correr os riscos inerentes. E acontece frequentemente de elas serem precursoras de certas ideias e condutas que, depois, serão aceitas como corretas pelo resto da comunidade. Encontramos exemplos desse fato sobretudo na área dos comportamentos sexuais. Não se está afirmando que tais decisões são puramente individuais no sentido em que não teriam sido de forma nenhuma influenciadas por fatores culturais; mas há de se reconhecer que ocorre uma *elaboração racional cujos resultados dão força e coragem ao indivíduo para se comportar de maneira desviante.* Ou seja, eles estão *certos* de estar agindo de modo correto. Poder-se-á argumentar que tais pessoas são raras e que o conceito de heteronomia serve para a maioria dos indivíduos. Essa triste constatação é, muito provavelmente, correta; todavia, dizer que as pessoas autônomas são raras não significa dizer que inexistem. Basta que haja uma para que seja necessário explicar como é possível. Em resumo, ao resgatar o papel da Razão e da autonomia, Piaget nos fornece uma teoria capaz de explicar um fenômeno moral talvez raro, mas certamente de suma importância.

Em segundo lugar, a teoria de Piaget vai ao encontro das características da sociedade democrática moderna. Escreve ele, citando Durkheim:

> O "dever", diz Durkheim, "é a moral enquanto ela manda; é a moral concebida como uma autoridade à qual devemos obedecer, porque ela é uma autoridade e apenas por essa razão". Então, se tal é o dever, é preciso ter a franqueza de admitir que é incompatível com a moral da cooperação. (JM, p. 298)

É difícil discordar de Piaget neste ponto. O sistema democrático pede a cooperação. Basta verificar quais são suas exigências: levar em conta o ponto de vista alheio, respeitá-lo, fazer acordos, negociações, contratos com o outro, admitir e respeitar as diferenças individuais, conviver com a pluralidade de opiniões, de crenças, de credos etc. Além do mais, pelas características do mundo moderno, somos cada vez mais levados a ter de encontrar e nos relacionar com pessoas de culturas diversas, de formação diversa, de religiões diversas. Vem daí que o ideal da "padronização" dos comportamentos torna-se totalmente impossível de ser realizado. Como diz Piaget, a nova exigência é a de *coordenar* os diversos pontos de vista e diferenças, e não mais de *reduzi-los* por meio de modelos a ser imitados por todos. Não vivemos mais num mundo onde grandes dogmas (religiosos, em grande parte) davam unidade à sociedade. Existem, hoje, alguns "saudosistas" que lamentam essa ausência e a decadência moral da sociedade moderna. Não é o caso de afirmar que vivemos, hoje, num mundo perfeito: há, sem dúvida, uma crise moral, grandes e angustiantes dúvidas sobre o que é certo ou errado, abusos de toda espécie. Mas esse é o preço da democracia, uma fase necessária à sua consolidação: o retorno a grandes padrões de conduta vai de encontro ao ideal democrático. Daí a importância de, como fez Piaget, integrar a relação social de cooperação à sua teoria moral. Daí também a importância de frisar que a cooperação é um *método*. Aqui, de novo, a influência de Kant parece ter sido decisiva.

Como o sublinharam diversos filósofos, o *imperativo categórico* ("eu devo") de Kant é *pura forma*. Escreve Maritain[9]:

> Eu devo, mas o que devo? Como essa pura forma do dever adquire um conteúdo, ou melhor (já que seu caráter absoluto e incondicionado a proíbe de nada colocar sob a dependência da natureza), como ela se dá a ela mesma ou se determina para ela mesma um conteúdo?

A cooperação de Piaget é também essa forma pura: os conteúdos serão justamente resultado da cooperação, e por terem sido produzidos por esse tipo de relação social serão respeitados.

Permanece, todavia, uma pergunta central: compreende-se que à Razão possa ser atribuída a produção da ideia do bem; mas pode-se também a ela atribuir o sentimento de obrigatoriedade? Dito de outra forma: basta achar racionalmente correta determinada conduta para realizá-la? Encontramos aqui o eterno confronto entre afetividade e Razão.

---

9. Maritain, J. *La philosophie morale*. Paris: PUF, 1960, p. 144. [Edição em português: *A filosofia moral*. Rio de Janeiro: Agir, 1964.]

Há algo de notável na teoria piagetiana: nela, *não assistimos a uma luta entre afetividade e moral*. Em Durkheim, como vimos, a moral deve *ganhar* das paixões, controlá-las; e para isso deve ser cultivado o sentimento do sagrado em relação ao ser coletivo, ser esse tão superior ao indivíduo. Vale dizer que a sociedade, de certa forma, salva o indivíduo de si mesmo. E na sua educação moral evidentemente comparecem a coação, a disciplina, o modelo severamente imposto, tudo isso para fazer que o fluxo das paixões individuais seja estancado. Ora, Piaget não nos descreve esse quadro de luta. Pelo contrário: nas suas análises, vemos afeto e moral se conjugarem em harmonia; o sujeito autônomo não é um "reprimido", mas sim um homem livre, pois livremente convencido de que o respeito mútuo é bom e legítimo. Tal liberdade lhe vem de sua Razão, e sua afetividade "adere" espontaneamente a seus ditames.

Nesse ponto – harmonia entre afetividade e Razão –, a teoria de Piaget lembra a de Bergson[10]. Uma rápida comparação será útil para nossa análise. Para Bergson, existem duas fontes da moral: a *pressão* e a *aspiração*. A *pressão* provém da sociedade e se destina a conservar a unidade desta: dela decorre uma moral *estática*. A *inspiração*, pelo contrário, é o que permite à moral pôr-se em movimento e evoluir, é o que permite ao homem elevar-se acima de seu tempo e da organização social dada. Escreve ele (Bergson, 1932, p. 56) que "entre a primeira moral e a segunda existe toda a distância que separa o repouso do movimento. A primeira é considerada imutável [...] mas a outra é um impulso, é uma exigência de movimento, ela é, em princípio, mobilidade".

---

10. BERGSON, H. *Les deux sources de la morale et de la religion*. Paris: PUF, 1932.

Não é difícil reconhecer nas ideias de Bergson uma fonte de inspiração para as "duas morais" definidas por Piaget: a moral da coação, justamente estática, conservadora, baseada na tradição e resultado da pressão do grupo social sobre os indivíduos (notadamente das gerações antigas sobre as mais novas); e a moral da cooperação, produtora de novas normas – logo, em movimento, em progresso.

Há, todavia, uma diferença básica entre as ideias de Bergson e de Piaget no que tange à explicação do como é possível uma "moral em movimento". Para Bergson, o que preside a moral da inspiração é um *sentimento*, uma emoção, que é o *entusiasmo de uma marcha para a frente*. Escreve ele:

> Nenhuma especulação pode criar uma obrigação ou nada que se pareça com ela [...] mas se a atmosfera de emoção está presente, se eu a respirei, se a emoção me penetra, eu agirei segundo ela, levantado por ela. Não por coação ou necessidade, mas em virtude de uma inclinação à qual não vou querer resistir. (*Ibidem*, p. 45)

Acrescenta ele que "não é da necessidade vazia de não se contradizer que se produzirá a obrigação moral" (p. 65) e que "há emoções que são geradoras de pensamentos" (p. 40). Para Piaget, pelo contrário, parece ser a necessidade racional a base para o sentimento de obrigatoriedade. Não vemos no seu texto a presença de um sentimento *sui generis* – novo em relação àqueles da moral da coação – acompanhar a Razão na moral da cooperação. Bergsoniano na sua categorização da moral, Piaget permanece kantiano na sua explicação.

Vejamos agora o problema de um ponto de vista psicológico.

Vamos imaginar um exemplo hipotético: Pedro sabe e está racionalmente convencido de que trapacear é moralmente condenável. Mas ele trapaceia e é pego em flagrante. Perante os pares que o julgam, ele não apresenta defesa para seu ato e aceita a punição, pois sabe – e está racionalmente convencido de – que eles *têm razão*.

Esse caso é possível? Sem dúvida nenhuma, pois exemplos cotidianos não faltam. E a teoria de Piaget o explica perfeitamente bem: Pedro tem uma moral, racionalmente fundada, que o faz julgar incorreto trapacear porque, nesse gesto, ela trai a confiança mútua, inviabiliza qualquer relação de reciprocidade, desrespeita o outro etc. Consequentemente, ele aceita a sanção, não se revolta contra ela. Ele a aceita não por investir seus pares ou um "ser coletivo" abstrato de autoridade religiosa, *mas porque sua Razão o obriga a reconhecer seu ato como mau e a sanção como legítima*.

Mas ele trapaceou! Cabe tal fato na teoria de Piaget? É aqui que ela se torna problemática, pois, com Bergson e muitos outros, não vemos como se possa afirmar que de algo *necessário* para o pensamento decorra *necessariamente* a ação correspondente.

Se pensarmos em situações nas quais comparece somente o interesse individual, ou quando este é igual ao interesse coletivo, o pensar e o agir podem completar-se e reforçar-se sem conflitos. Por exemplo: preciso consertar o motor do meu carro, analiso o defeito, procuro suas causas, raciocino com os dados levantados, deduzo que devo trocar o platinado e o troco. Mas imaginemos agora outra situação: sou jogador de pôquer e preciso de dinheiro; aparece uma ocasião durante a qual *sei* que posso trapacear sem ser visto e, assim, ganhar o dinheiro de que preciso, mas *sei* também e *reconheço* que é moralmente errado agir dessa forma. Aqui há um conflito: meu interesse (ganhar dinheiro) e um ideal de honestidade. Trapacearei? É impossível afirmar com certeza que não evocando apenas minhas convicções racionais. Serei honesto apenas porque estou racionalmente *convencido* de que agir dessa forma é seguir o bem – ou seja, porque minha convicção de ser honesto é o bem transformar-se imediatamente numa obrigação? É difícil afirmar que a Razão tenha tal força. Ela comparece, sem dúvida, como condição necessária: avaliação racional do ideal de honestidade, do valor da reciprocidade etc. Mas não é condição suficiente: saber não é necessariamente querer.

O que Kant afirmava ser misterioso (saber como uma lei, produto da Razão, pode ser princípio determinante da vontade) permanece misterioso também na teoria de Piaget. Este nos explica que tal participação da Razão não é dada *a priori*, mas construída na convivência social; significa que Piaget nos esclarece a gênese da Razão e, portanto, desse "sentimento" de necessidade dela proveniente. Mas, no que diz respeito ao "princípio determinante da vontade", que Piaget parece incluir na sua concepção de moral, os mesmos problemas encontrados pela filosofia de Kant permanecem na teoria de Piaget.

CONCLUSÃO

Entre Fedra e Rodrigo, Piaget certamente escolheria o último: a Razão e sua moral devem e podem vencer. Mas, enquanto Bergson veria um Rodrigo *apaixonado* pela sua moral, Piaget nos apresenta uma personagem puramente *convencida* de que age corretamente (acrescente-se, porém, que, ao ler *O juízo moral na criança*, intuímos um Piaget claramente movido por alguma "emoção" que sustenta um grande otimismo em relação ao ser humano – o que, aliás, se encontra em toda a sua obra!).

Enquanto Durkheim e Bovet identificam uma só moral e, coerentemente, um mesmo afeto por detrás dela, Piaget identifica duas morais. Na primeira, identifica afetos básicos como medo e amor. Na segunda, contudo, desaparecem referências a afetos, permanecendo apenas a noção de necessidade, produto genuíno da Razão. No campo moral, por conseguinte, *o afeto dobrar-se-ia aos ditames da Razão*. Ou melhor, evoluiria de certa forma *dirigido* pela Razão, uma vez que Piaget nos mostra um ser autônomo e feliz, e não um indivíduo reprimido.

Essa solução nos pareceu incompleta. Eu diria que Piaget nos fornece a condição necessária ao desenvolvimento da moral autônoma, mas não a condição suficiente. Ele mostra convincentemente como a evolução da inteligência permite organizar – sempre na área moral – o mundo afetivo; mas falta justamente a recíproca, ou seja, como a afetividade torna o respeito mútuo possível de ser seguido na prática. Piaget ficou, de certo modo, "refém" de seu próprio método, que consistiu em estudar o *juízo moral*. Estudo esse, sem dúvida, essencial – a não ser que se afirme a total independência entre pensar e agir –, mas que pediria ser completado por outros que se detivessem mais nos aspectos afetivos do problema. É o eterno sonho daqueles que procuram unir Piaget a Freud...

5
O problema da afetividade em Vigotski

MARTA KOHL DE OLIVEIRA

As dimensões cognitiva e afetiva do funcionamento psicológico têm sido tratadas, ao longo da história da psicologia como ciência, de forma separada, correspondendo a diferentes tradições dentro dessa disciplina. Atualmente, no entanto, percebe-se uma tendência de reunião desses dois aspectos, numa tentativa de recomposição do ser psicológico completo. Essa tendência parece assentar-se em uma necessidade teórica de superação de uma divisão artificial, a qual acaba fundamentando uma compreensão fragmentada do funcionamento psicológico. As situações concretas da atividade humana, objeto de interesse de áreas aplicadas como a educação, por exemplo, também pedem uma abordagem mais orgânica do ser humano: as lacunas explicativas tornam-se óbvias quando enfrentamos indivíduos e grupos em situações reais de desempenho no mundo.

No caso de Vigotski, os aspectos mais difundidos e explorados de sua abordagem são aqueles referentes ao funcionamento cognitivo: a centralidade dos processos psicológicos superiores no funcionamento típico da espécie humana; o papel dos instrumentos e símbolos, culturalmente desenvolvidos e internalizados pelo indivíduo, no processo de mediação entre sujeito e objeto de conhecimento; as relações entre pensamento e linguagem; a importância dos processos de ensino-aprendizagem na promoção do desenvolvimento; a questão dos processos metacognitivos. Em termos contemporâneos, Vigotski poderia ser considerado um cognitivista, na medida em que se preocupou com a investigação dos processos internos relacionados à aquisição, à organização e ao uso do conhecimento e, especificamente, com sua dimensão simbólica.

É interessante notar, porém, que

> Vygotsky nunca usou o termo "cognição". Na verdade, apenas recentemente é que um equivalente mais preciso de "cognitivo" entrou no léxico da psicologia soviética, com o termo "kognitivnii". Isso não significa, de forma alguma, que os psicólogos soviéticos não tenham estudado processos como pensamento, percepção e memória. (Wertsch, 1990, p. 63)

Os termos utilizados por Vigotski para designar processos que denominamos cognitivos são "funções mentais" e "consciência".

> Vygotsky usou o termo "função mental" para referir-se a processos como pensamento, memória, percepção e atenção. Ele fez uma distinção básica entre "funções mentais elementares", como atenção involuntária, e "funções mentais superiores", como atenção volun-

tária e memória lógica. [...] Central para a concepção de Vygotsky sobre as funções mentais, especialmente as funções mentais superiores, é o fato de que não há maneira simples de compreender nenhuma delas isoladamente. Sua verdadeira essência é serem inter-relacionadas com outras funções. Essa ênfase na interfuncionalidade reflete-se especialmente na sua compreensão do termo "consciência". (*Ibidem*, p. 64)

A organização dinâmica da consciência aplica-se ao afeto e ao intelecto: "[...] os processos pelos quais o afeto e o intelecto se desenvolvem estão inteiramente enraizados em suas inter-relações e influências mútuas" (*ibidem*, p. 65).

Encontramos, assim, nos próprios termos utilizados por Vigotski, um questionamento da divisão entre as dimensões cognitiva e afetiva do funcionamento psicológico e, consequentemente, um desafio à classificação de seu trabalho como cognitivista *stricto sensu*.

Há dois pressupostos complementares e de natureza geral em sua teoria que delineiam uma posição básica a respeito do lugar do afetivo no ser humano. Primeiramente, uma *perspectiva declaradamente monista*, que se opõe a qualquer cisão das dimensões humanas como corpo/alma, mente/alma, material/não material e até, mais especificamente, pensamento/linguagem. Em segundo lugar, uma *abordagem holística*, sistêmica, que se opõe ao atomismo, ao estudo dos elementos isolados do todo, propondo a busca de unidades de análise que mantenham as propriedades da totalidade. Tanto o monismo como a abordagem globalizante buscam a pessoa como um todo e portanto, por definição, não separam afetivo e cognitivo como dimensões isoláveis.

Vigotski menciona, explicitamente, que um dos principais defeitos da psicologia tradicional é a separação entre os aspectos intelectuais, de um lado, e os volitivos e afetivos, de outro, propondo a consideração da unidade entre esses processos. Coloca que o pensamento tem origem na esfera da motivação, a qual inclui inclinações, necessidades, interesses, impulsos, afeto e emoção. Nessa esfera estaria a razão última do pensamento e, assim, uma compreensão completa do pensamento humano só é possível quando se compreende sua base afetivo-volitiva. A separação do intelecto e do afeto, diz Vigotski,

enquanto objeto de estudo, é uma das principais deficiências da psicologia tradicional, uma vez que esta apresenta o processo de pensamento como um fluxo autônomo de "pensamentos que pensam a si próprios", dissociado da plenitude da vida, das necessidades e dos interesses pessoais, das inclinações e dos impulsos daquele que pensa. Esse pensamento dissociado deve ser considerado tanto um epifenômeno sem significado, incapaz de modificar qualquer coisa na vida ou na conduta de uma pessoa, como alguma espécie de força primeva a exercer influência sobre a vida pessoal, de um modo misterioso e inexplicável. Assim, fecham-se as portas à questão da causa e origem de nossos pensamentos, uma vez que a análise determinista exigiria o esclarecimento das forças motrizes que dirigem o pensamento para esse ou aquele canal. Justamente por isso a antiga abordagem impede qualquer estudo fecundo do processo inverso, ou seja, a influência do pensamento sobre o afeto e a volição.

A análise em unidades indica o caminho para a solução desses problemas de importância vital. Demonstra a existência de um sistema dinâmico de significados em que o afetivo e o intelectual se unem.

Mostra que cada ideia contém uma atitude afetiva transmutada com relação ao fragmento de realidade ao qual se refere. Permite-nos ainda seguir a trajetória que vai das necessidades e impulsos de uma pessoa até a direção específica tomada por seus pensamentos, e o caminho inverso, a partir de seus pensamentos até o seu comportamento e a sua atividade. (Vygotsky, 1989, p. 6-7)

Além dos pressupostos mais gerais de sua teoria mencionados, várias são as "portas de entrada", na obra de Vigotski, que permitem uma aproximação com a dimensão afetiva do funcionamento psicológico. Em primeiro lugar, ele escreveu diversos textos sobre questões diretamente ligadas a essa dimensão (emoção, vontade, imaginação, criatividade), a maior parte deles não traduzida do russo e muitos não publicados nem mesmo na União Soviética (veja-se bibliografia completa no livro *A formação social da mente*, Vygotsky, 1984). Um longo manuscrito sobre emoções, escrito em 1933, foi publicado apenas em 1984, no sexto volume da edição soviética de suas obras.

Em segundo lugar, ele escreveu alguns comentários sobre psicanálise, tema também explorado por seu colaborador A. R. Luria. Este estudou aspectos afetivos no âmbito de sua ampla obra sobre neuropsicologia, desdobramento e aprofundamento do programa de pesquisas do grupo de Vigotski. Vigotski teve, ainda, acesso a questões da psique humana pela via da produção ficcional: interessou-se, durante toda a vida, por obras de literatura e de teatro, tendo escrito vários textos de crítica literária e trabalhado em diversas atividades relacionadas com essas áreas. Sua monografia de fim de curso na universidade foi uma análise do *Hamlet* de Shakespeare, a qual foi mais tarde modificada e incorporada a seu livro *Psicologia da arte* (Vygotsky, 1971).

As ideias de Vigotski a respeito do conceito de consciência – que, como já mencionado, é tão central em sua concepção das relações entre afeto e intelecto –, bem como suas ideias sobre alguns outros conceitos específicos, serão discutidas em maior detalhe a seguir, a fim de aprofundar os aspectos de seu pensamento que têm uma ligação mais direta com a dimensão afetiva do funcionamento psicológico do homem.

CONSCIÊNCIA

O conceito de consciência[1] em Vigotski está claramente associado à sua tentativa de construção de uma "nova psicologia", para superar a chamada crise na psicologia do início do século 20. O reducionismo comportamentalista, por um lado, procurava explicar processos elementares sensoriais e reflexos, propondo a eliminação do construto consciência da psicologia científica. A psicologia idealista, por outro lado, tomava a consciência como substância, como um "estado interior" preexistente, uma realidade subjetiva primária. "Vygotsky argumentava que era possível evitar esse dilema concebendo a consciência como organização objetivamente observável do comportamento, que é imposta aos seres humanos por meio da participação em práticas socioculturais" (Wertsch, 1988, p. 195-96).

---

1. É interessante mencionar que "para Vygotsky a noção de consciência não estava ligada à teoria psicanalítica e, portanto, não está posta em contraste com 'inconsciente', 'pré-consciente' ou outros termos semelhantes. Além disso, embora seu uso do termo derive de uma preocupação com o marxismo, ele não focalizou temas tradicionais do marxismo, como consciência de classe ou falsa consciência" (Wertsch, 1990, p. 64).

Sua fundamentação nos postulados marxistas é evidente: ele toma a dimensão social da consciência como essencial, sendo a dimensão individual derivada e secundária. O processo de internalização, isto é, de construção de um plano intrapsicológico a partir de material interpsicológico, de relações sociais, é o processo mesmo de formação da consciência. Para Vigotski, "a internalização não é um processo de cópia da realidade externa num plano interior já existente; é, mais do que isso, um processo em cujo seio se desenvolve um plano interno da consciência" (Wertsch, 1988, p. 83).

Esse conceito tem claras ligações com os postulados básicos de sua abordagem: o fundamento sócio-histórico do funcionamento psicológico do homem; a importância dos processos de mediação; a ideia de que a organização dos processos psicológicos é dinâmica e que as conexões interfuncionais não são permanentes.

De acordo com esse ponto de vista, a consciência humana, que é resultado de atividade complexa, e cuja função se relaciona com a mais alta forma de orientação no mundo circundante e com a regulamentação do comportamento, formou-se ao longo da história social do homem durante a qual a atividade manipuladora e a linguagem se desenvolveram, e seu mecanismo exige a íntima participação destas. Ao refletir o mundo exterior, indiretamente, através da fala, a qual desempenha um papel profundo não apenas na codificação e decodificação das informações, como também na regulamentação de seu próprio comportamento, o homem é capaz de executar tanto a mais simples forma de reflexão da realidade como as mais altas formas de regulamentação de seu próprio comportamento. As impressões que chegam a ele, vindas do mundo exterior, são submetidas a uma complexa análise e recodificadas de acordo com categorias que ele aprendeu e adquiriu como resultado da completa experiência histórica da humanidade, e sua ideia acerca do mundo exterior torna-se abstrata e generalizada, mudando com cada estágio sucessivo do desenvolvimento psicológico. Ao mesmo tempo o homem é capaz de formular intenções complexas, de preparar complicados programas de ação e subordinar seu comportamento a esses programas, distinguindo as impressões essenciais e as associações incorporadas a estes programas e inibindo impressões e associações que não correspondem a eles ou que estejam interferindo neles ou perturbando-os. É capaz de comparar as ações que executou com suas intenções originais e corrigir os erros cometidos. (Luria, 1988, p. 221-22)

A consciência representaria, assim, um salto qualitativo na filogênese, sendo o componente mais elevado na hierarquia das funções psicológicas humanas. Seria a própria essência da psique humana, constituída por uma inter-relação dinâmica, e em transformação ao longo do desenvolvimento, entre intelecto e afeto, atividade no mundo e representação simbólica, controle dos próprios processos psicológicos, subjetividade e interação social.

SUBJETIVIDADE E INTERSUBJETIVIDADE

As funções psicológicas superiores, principal objeto do interesse de Vigotski, referem-se a processos voluntários, ações conscientemente controladas, mecanismos intencionais. Essas são funções tipicamente humanas e, no desenvolvimento do indivíduo da espécie humana, aparecem tardiamente; são as funções que apresentam o maior grau de autonomia em relação aos fatores biológicos do desenvolvimento, sendo, portanto, claramente um resultado da inserção do homem em determinado contexto sócio-histórico.

O processo de internalização das formas culturalmente dadas de funcionamento psicológico é, para Vigotski, um dos principais mecanismos a ser compreendidos no estudo do ser humano.

> A internalização de formas culturais de comportamento envolve a reconstrução da atividade psicológica tendo como base as operações com signos. Os processos psicológicos, tal como aparecem nos animais, realmente deixam de existir; são incorporados nesse sistema de comportamento e são culturalmente reconstituídos e desenvolvidos para formar uma nova entidade psicológica. O uso de signos externos é também reconstruído radicalmente. As mudanças nas operações com signos durante o desenvolvimento são semelhantes àquelas que ocorrem na linguagem. Aspectos tanto da fala externa ou comunicativa como da fala egocêntrica "interiorizam-se", tornando-se a base da fala interior.

> A internalização das atividades socialmente enraizadas e historicamente desenvolvidas constitui o aspecto característico da psicologia humana; é a base do salto qualitativo da psicologia animal para a psicologia humana. (Vygotsky, 1984, p. 65)

Porém, a cultura não é pensada por Vigotski como um sistema estático ao qual o indivíduo se submete, mas como uma espécie de "palco de negociações" em que seus membros estão em constante processo de recriação e reinterpretação de informações, conceitos e significados. Ao tomar posse do material cultural, o indivíduo o torna seu, passando a utilizá-lo como instrumento pessoal de pensamento e ação no mundo. Nesse sentido, o processo de internalização, que corresponde, como vimos, à própria formação da consciência, é também um processo de constituição da subjetividade a partir de situações de intersubjetividade. A passagem do nível interpsicológico para o nível intrapsicológico envolve, assim, relações interpessoais densas, mediadas simbolicamente, e não trocas mecânicas limitadas a um patamar meramente intelectual. Envolve também a construção de sujeitos absolutamente únicos, com trajetórias pessoais singulares e experiências particulares em sua relação com o mundo e, fundamentalmente, com as outras pessoas.

SENTIDO E SIGNIFICADO

A questão da formação da consciência e a questão da constituição da subjetividade a partir de situações de intersubjetividade nos remetem à questão da mediação simbólica e, consequentemente, à importância da linguagem no desenvolvimento psicológico do homem. Uma das ideias centrais, e mais difundidas, de Vigotski é a de que os processos mentais superiores são mediados por sistemas simbólicos, sendo a linguagem o sistema simbólico básico de todos os grupos humanos. A linguagem fornece os conceitos e as formas de organização do real que constituem a mediação entre o sujeito e o objeto de conhecimento.

A questão do significado ocupa lugar central nas análises de Vigotski sobre a linguagem.

O significado é componente essencial da palavra, sendo, ao mesmo tempo, um ato de pensamento, na medida em que o significado de uma palavra já é, em si, uma generalização. Isto é, no significado da palavra é que o pensamento e a fala se unem em pensamento verbal.

É no significado que se encontra a unidade das duas funções básicas da linguagem: o intercâmbio social e o pensamento generalizante. São os significados que vão propiciar a mediação simbólica entre o indivíduo e o mundo real, constituindo-se no "filtro" através do qual o indivíduo é capaz de compreender o mundo e agir sobre ele. "O significado de uma palavra representa um amálgama tão estreito do pensamento e da palavra, que fica difícil dizer se se trata de um fenômeno da fala ou de um fenômeno do pensamento. Uma palavra sem significado é um som vazio; o significado, portanto, é um critério da palavra, seu componente indispensável [...] Mas, do ponto de vista da psicologia, o significado de cada palavra é uma generalização ou um conceito. E como as generalizações e os conceitos são inegavelmente atos de pensamento, podemos considerar o significado como um fenômeno do pensamento." (Oliveira *apud* Vygotsky, 1989, p. 104)

Embora a questão do significado pareça pertencer exclusivamente ao domínio do cognitivo, por referir-se ao processo de generalização e de organização conceitual e por ser tradicionalmente abordada, dentro da psicologia, por estudiosos dos processos cognitivos, na concepção de Vigotski sobre o significado da palavra encontra-se uma clara conexão entre aspectos cognitivos e afetivos do funcionamento psicológico.

Vigotski distingue dois componentes do significado da palavra: o significado propriamente dito e o "sentido". O significado propriamente dito refere-se ao sistema de relações objetivas que se formou no processo de desenvolvimento da palavra, consistindo num núcleo relativamente estável de compreensão da palavra, compartilhado por todas as pessoas que a utilizam. O sentido, por sua vez, refere-se ao significado da palavra para cada indivíduo, composto por relações que dizem respeito ao contexto de uso da palavra e às vivências afetivas do indivíduo.

A palavra *carro*, por exemplo, tem o significado objetivo de "veículo de quatro rodas, movido a combustível, utilizado para o transporte de pessoas". O sentido da palavra carro, entretanto, variará conforme a pessoa que a utiliza e o contexto em que é aplicada. Para o motorista de táxi significa um instrumento de trabalho; para o adolescente que gosta de dirigir pode significar forma de lazer; para um pedestre que já foi atropelado o carro tem um sentido ameaçador, que lembra uma situação desagradável, e assim por diante. O sentido da palavra liga seu significado objetivo ao contexto de uso da língua e aos motivos afetivos e pessoais dos seus usuários. Relaciona-se com o fato de que a experiência individual é sempre mais complexa do que a generalização contida nos signos. (Oliveira, 1993, p. 50-51)

A linguagem é, assim, sempre polissêmica, sempre requerendo interpretação com base em fatores linguísticos e extralinguísticos.

Para compreender a fala de outrem não basta entender as suas palavras – temos que compreender o seu pensamento. Mas nem mesmo isso é suficiente – também é preciso que conheçamos a sua motivação. Nenhuma análise psicológica de um enunciado estará completa antes de se ter atingido esse plano. (Vygotsky, 1989, p. 130)

No próprio significado da palavra, portanto, tão central para Vigotski, encontra-se uma concretização de sua perspectiva integradora dos aspectos cognitivos e afetivos do funcionamento psicológico humano.

O DISCURSO INTERIOR

A questão da internalização como processo de constituição da subjetividade e a questão da construção do significado envolvem um aspecto particularmente relevante para a compreensão da abordagem unificadora do funcionamento psicológico humano proposta por Vigotski: a internalização da linguagem. No processo de aquisição da linguagem, a criança primeiramente utiliza a fala socializada com a função de comunicação, contato social. Em fases mais avançadas de sua aquisição, porém, a linguagem, utilizada inicialmente para intercâmbio com outras pessoas, é internalizada, e passa a servir ao próprio indivíduo. Isto é, ao longo de seu desenvolvimento, a pessoa passa a ser capaz de utilizar a linguagem como instrumento de pensamento, com a função de adaptação pessoal.

A forma internalizada da linguagem, o chamado "discurso interior", dirige-se, pois, ao próprio sujeito e não a um interlocutor externo. É um discurso sem vocalização, uma espécie de diálogo consigo mesmo, voltado para o pensamento, cuja função é auxiliar o indivíduo em suas operações psicológicas. Justamente por ser um diálogo do sujeito consigo próprio, o discurso interior tem uma estrutura peculiar, diferenciando-se da fala exterior. É fragmentado, abreviado, contém quase só núcleos de significação, consistindo numa espécie de "dialeto pessoal", compreensível apenas pelo próprio sujeito. Predomina, no discurso interior, o *sentido* sobre o significado das palavras: no plano intrapsicológico, o indivíduo lida com a dimensão do significado que relaciona as palavras às vivências afetivas e contextuais muito mais que ao seu aspecto objetivo e compartilhado. Os sentidos de diferentes palavras fluem um dentro do outro, e cada palavra está tão saturada de sentido que seriam necessárias muitas palavras para explicá-la na fala exterior (Vygotsky, 1989).

A função do discurso interior é apoiar os processos psicológicos mais complexos: processos de pensamento, de autorregulação, de planejamento da ação, de monitoração do próprio funcionamento afetivo-volitivo. Nesses processos interagem, no plano interno da consciência, as várias dimensões do funcionamento psicológico. Embora, devido à ênfase habitualmente dada às relações entre pensamento e linguagem, sejamos levados a supor que o papel da linguagem internalizada postulada por Vigotski refira-se exclusivamente à dimensão cognitiva do funcionamento psicológico, na verdade mecanismos fundamentais da constituição da pessoa na condição de sujeito e de sua organização no mundo estão envolvidos na internalização da linguagem. "As palavras desempenham um papel central não só no desenvolvimento do pensamento, mas também na evolução histórica da consciência como um todo. Uma palavra é um microcosmo da consciência humana" (Vygotsky, 1989, p. 132).

O presente texto buscou construir, por meio da reunião de informações esparsas nos textos disponíveis de Vigotski e em escritos de outros autores sobre seu trabalho, uma compreensão de suas colocações a respeito da afetividade no funcionamento psicológico do ser humano. Embora não tenha sido possível fazer uma exposição articulada sobre a questão da afetividade como item específico dentro da teoria de Vigotski – projeto, aliás, de difícil realização com respeito a quaisquer dos tópicos por ele abordados, pela própria natureza de seus escritos –, destaca-se como uma constante em seu pensamento a importância das conexões, profundas, entre as dimensões cognitiva e afetiva do funcionamento psicológico do homem.

A exploração do lugar do afetivo na obra de Vigotski torna-se particularmente interessante pelo fato de que esse autor, que produziu sua obra nos anos 20 e 30 do século 20 e poderia ser atualmente considerado um cognitivista, propõe uma abordagem unificadora das dimensões afetiva e cognitiva do funcionamento psicológico que muito se aproxima das tendências contemporâneas. Algumas de suas palavras explicitam, mais uma vez, essa abordagem:

> Quando associado a uma tarefa que é importante para o indivíduo, quando associado a uma tarefa que, de certo modo, tem suas raízes no centro da personalidade do indivíduo, o pensamento realista dá vida a experiências emocionais muito mais significativas do que a imaginação ou o devaneio. Consideremos, por exemplo, o pensamento realista do revolucionário ao contemplar ou estudar uma situação política complexa. Quando consideramos um ato de pensamento relativo à resolução de uma

tarefa de importância vital para a personalidade, torna-se claro que as conexões entre o pensamento realista e as emoções são frequentemente muito mais profundas, fortes, impulsionadoras e mais significativas do que as conexões entre as emoções e o devaneio. (Vygotsky, 1987, p. 348)

REFERÊNCIAS

LURIA, A. R. "O cérebro humano e a atividade consciente". In: VIGOTSKII, L. S.; LURIA, A. R.; LEONTIEV, A. N. *Linguagem, desenvolvimento e aprendizagem*. São Paulo: Ícone/Edusp, 1988.

OLIVEIRA, M. K. de. *Vygotsky*. São Paulo: Scipione, 1993.

VYGOTSKY, L. S. *The psychology of art*. Cambridge: MIT Press, 1971.

_____. *A formação social da mente*. São Paulo: Martins Fontes, 1984.

_____. *The collected works of L. S. Vygotsky. v. 1 – Problems of general psychology*. Nova York: Plenum Press, 1987.

_____. *Pensamento e linguagem*. 2. ed. São Paulo: Martins Fontes, 1989.

WERTSCH, J. V. *Vygotsky y la formación social de la mente*. Barcelona: Paidós, 1988.

_____. "A meeting of paradigms". *Contemporary Psychoanalysis*, v. 26, n. 1, 1990, p. 53-73.

6
A afetividade e a construção do sujeito na psicogenética de Wallon

HELOYSA DANTAS

A TEORIA DA EMOÇÃO

Na psicogenética de Henri Wallon, a dimensão afetiva ocupa lugar central, tanto do ponto de vista da construção da pessoa quanto do conhecimento. Ambos se iniciam num período que ele denomina impulsivo-emocional e se estende ao longo do primeiro ano da vida. Nesse momento, a afetividade reduz-se praticamente às manifestações fisiológicas da emoção, que constitui, portanto, o ponto de partida do psiquismo.

A sua teoria da emoção, extremamente original, tem uma nítida inspiração darwinista: ela é vista como o instrumento de sobrevivência típico da espécie humana, que se caracteriza pela escassez da prole e pelo prolongado período de dependência. Se não fosse pela sua capacidade de mobilizar poderosamente o ambiente, no sentido do atendimento das suas necessidades, o bebê humano pereceria. Não é por acaso que seu choro atua de forma tão intensa sobre a mãe – é essa a função biológica que dá origem a um dos traços característicos da expressão emocional: sua alta contagiosidade, seu poder epidêmico. É nesse sentido que Wallon a considera fundamentalmente social: ela fornece o primeiro e mais forte vínculo entre os indivíduos e supre a insuficiência da articulação cognitiva nos primórdios da história do ser e da espécie.

A emoção constitui também uma conduta com profundas raízes na vida orgânica: os componentes vegetativos dos estados emocionais são bem conhecidos, e Wallon mergulha neles até descobrir sua origem na função tônica.

Dessa maneira, a caracterização que apresenta da atividade emocional é complexa e paradoxal: ela é simultaneamente social e biológica em sua natureza; realiza a transição entre o estado orgânico do ser e a sua etapa cognitiva, racional, que só pode ser atingida por meio da mediação cultural, isto é, social. A consciência afetiva é a forma como o psiquismo emerge da vida orgânica: corresponde à sua primeira manifestação. Pelo vínculo imediato que instaura com o ambiente social, ela garante o acesso ao universo simbólico da cultura, elaborado e acumulado pelos homens ao longo da sua história. Assim, é ela que permitirá a tomada de posse dos instrumentos com os quais trabalha a atividade cognitiva. Nesse sentido, ela lhe dá origem.

Mas, por outro lado, ao manter o seu caráter arcaico de tumulto orgânico, regulado por estruturas nervosas que perdem autonomia ao longo da maturação cerebral, ela manterá sempre, com a atividade reflexiva, uma relação de antagonismo, que reflete a oposição entre os dois níveis de funcionamento cerebral: o subcortical e o cortical. Foi nesse sentido que afirmei, sintetizando essa concepção paradoxal, que "a razão nasce da emoção e vive da sua morte". Constitui experiência corriqueira a perda de lucidez produzida pelos estados emocionais intensos; menos óbvia é a mutação (seríamos tentados a dizer "sublimação") que transforma emoção em ativação intelectual e assim a reduz.

Essa posição da emoção na ontogênese ilustra o significado da afirmação walloniana de que o psiquismo é uma síntese entre o orgânico e o social: ela indica precisamente o momento em que ela ocorre e permanece como testemunho dele, persistindo como conduta em que estão nítidos os dois componentes.

Sua natureza contraditória vem daí, do fato de participar de dois mundos e ter como função fazer a transição entre eles. A existência de fenômenos desse tipo faz que, para Wallon, a melhor atitude metodológica a ser utilizada pela psicologia seja o materialismo dialético: ele garante a atenção ao suporte orgânico da consciência sem reduzi-la a um epifenômeno, uma vez que não confunde anterioridade com supremacia, mas, pelo contrário, identifica a função posterior como mais complexa e posteriormente dominante; abre espaço para as relações paradoxais, de reciprocidade e retorno causal, e torna obrigatória a disposição para considerar cada fato estudado em seu devir. Por todas essas razões Wallon o considera fecundo e apropriado para o cambiante e complicado objeto da psicologia humana.

A teoria da emoção que resulta dessas opções é, por conseguinte, dialética, para melhor dar conta da sua natureza paradoxal, e genética, para acompanhar as mudanças funcionais. É por essa última razão que difere tanto das demais, que podem ser agrupadas dos dois lados de um eixo, segundo deem realce aos seus efeitos ativadores ou desorganizadores da atividade. A polêmica não pode ser resolvida, para Wallon, fora da perspectiva genética: é preciso considerar o fato de que, em sua origem, a conduta emocional depende de centros subcorticais (vale dizer, sua expressão é involuntária e incontrolável) e, com a maturação cortical, torna-se suscetível de controle voluntário.

Segue-se que – em função do nível cerebral que esteja de fato atuando – os seus efeitos se darão em uma ou outra direção. A emoção descontrolada corresponde à atuação subcortical.

Com base nessas considerações, pode-se compreender melhor as características da vida emocional. Analisando seus componentes fisiológicos, as alterações viscerais e metabólicas que a acompanham, Wallon encontra por detrás delas flutuações do tônus muscular, seja o das próprias vísceras, seja o da musculatura superficial.

A toda alteração emocional correspondente uma flutuação tônica; modulação afetiva e modulação muscular acompanham-se estreitamente. Com esse se completam os elementos necessários à compreensão das condições subjacentes à ativação ou redução da afetividade. Ela tem controles cerebrais; por conseguinte, pode ser instigada ou reduzida por agentes químicos que atuem diretamente ali. Mantém relações de antagonismo com a atividade cognitiva: é fato de conhecimento geral que conseguir envolver alguém em estado de ansiedade em um trabalho de reflexão (uma análise intelectual das causas da própria emoção, por exemplo) resulta em reduzir a angústia. Inversamente, é também conhecido o poder, tão bem manuseado pelos grandes retóricos, de produzir emoção por meios puramente representativos. Acrescentando a essas possibilidades a constatação do papel do tônus muscular, tem-se, ainda, uma terceira possibilidade, correspondente à atuação mecânica, periférica. Também são confusamente conhecidas, no nível empírico, os efeitos das massagens e do relaxamento autógeno, assim como os paroxismos emotivos suscetíveis de ser provocados por atividade rítmica intensa. Ajuriaguerra produziu, por meio de cadências de tambor de intensidade crescente, explosões emocionais em crianças.

A análise walloniana põe a nu três diferentes entradas para a obscura região em que se formam e reduzem as manifestações passionais: uma de natureza química, central; outra de tipo mecânico-muscular, periférica; e outra ainda de natureza abstrata, representacional.

Aprofundando sua tese acerca do papel do tônus, Wallon o utiliza como critério classificatório: identifica emoções de natureza hipotônica, isto é, redutoras do tônus, tais como o susto e a depressão. Um medo súbito é capaz de dar instantaneamente a um corpo humano a consistência de um boneco de trapos. Outras emoções são hipertônicas, geradoras de tônus, tais como a cólera e a ansiedade, capazes de tornar pétrea a musculatura periférica. A concentração, sem escoamento, do tônus, nestas últimas, é percebida como extremamente penosa. Vem daí o caráter prazeroso das situações afetivas em que se estabelece um fluxo tônico, de tal sorte que ele se eleva e se escoa imediatamente em movimentos expressivos: é o caso da alegria e também, de certa forma, do orgasmo venéreo.

CARACTERÍSTICAS DO COMPORTAMENTO EMOCIONAL

Dos seus traços essenciais decorrem os efeitos que a caracterizam. Por exemplo, sua função basicamente social explica o seu caráter contagioso, epidêmico. Este traço é frequentemente negligenciado, pois pertence ao campo obscuro em que se situam os limites entre a vida somática e a vida representativa, do que resulta grave prejuízo para a compreensão dos processos interpessoais, sobretudo das interações entre crianças e adultos. Sendo esses seres essencialmente emotivos, e trazendo à sua emoção a tendência forte, porque funcional, a se propagar, resulta daí que os adultos, no convívio com elas, estão permanentemente expostos ao contágio emocional. Isso pode ocorrer na direção da produção de uma emoção análoga ou complementar. A ansiedade infantil, por exemplo, pode produzir no adulto próximo também angústia ou irritação. Resistir a essa forte tendência implica conhecê-la, isto é, corticalizá-la, condição essencial para reverter o processo.

Do seu caráter social resulta ainda a tendência que tem para nutrir-se com a presença dos outros. Plateias desempenham o papel do oxigênio que alimenta a chama emocional: deixada a sós, entregue a si mesma, a manifestação tende a se extinguir rapidamente, fato aparentemente trivial, que os desacertos do convívio cotidiano demonstram ser também ignorados.

A emoção traz consigo a tendência para reduzir a eficácia do funcionamento cognitivo; nesse sentido, ela é regressiva. Mas a qualidade final do comportamento do qual ela está na origem dependerá da capacidade cortical de retomar o controle da situação. Se ele for bem-sucedido, soluções inteligentes serão mais facilmente encontradas, e nesse caso a emoção, embora, sem dúvida, não desapareça completamente (isso significaria atingir um estado não emocional, o que não existe, já que para Wallon a afetividade é componente permanente da ação, e se deve entender como emocional também um estado de serenidade), se reduzirá.

É quando não consegue transmutar-se dessa maneira em ação mental ou motora, isto é, quando permanece emoção pura, que produz os efeitos descritos como desorganizadores por várias teorias.

Em sentido geral, portanto, é possível descrevê-la como potencialmente anárquica e explosiva, imprevisível, e por isso assustadora. Está aí a razão pela qual é tão raramente enfrentada pela reflexão pedagógica.

Na ontogênese, seu apogeu coincide com o período de imperícia máxima do ser, uma vez que ela tem precisamente por função supri-lo por meio da mobilização do outro. É possível afirmar, pois, que a emotividade é diretamente proporcional ao grau de inaptidão, de incompetência, de insuficiência de meios. Na vida adulta, ela tende a surgir nas situações para as quais não se tem recursos, nas circunstâncias novas e difíceis.

Se aproximarmos essas duas características, identificaremos a formação de uma tendência a que poderíamos chamar de "circuito perverso" da emoção: a de surgir nos momentos de incompetência e então, devido ao seu antagonismo estrutural com a atividade racional, provocar ainda maior insuficiência. Na interação entre adultos e crianças, cuja temperatura emocional é mais elevada, os resultados daquele "circuito perverso" fazem-se sentir com frequência. Tão raramente tematizada, essa questão passa assim para o primeiro plano: a educação da emoção deve ser incluída entre os propósitos da ação pedagógica, o que supõe o conhecimento íntimo do seu modo de funcionamento.

A revolução orgânica provocada pela emoção concentra no próprio corpo a sensibilidade: ocupada com as próprias sensações viscerais, metabólicas, respiratórias, fica diminuída a acuidade da percepção do exterior. É a esse fenômeno que Wallon se refere quando diz que a sensibilidade protopática reduz a percepção epicrítica, prejudicando a atividade de relação. Uma forma somática, confusa, global da sensibilidade sobe numa onda, apagando a percepção intelectual e analítica do exterior. A sensibilidade tem um nível afetivo e outro cognitivo, assim como a motricidade e a linguagem.

O caráter altamente contagioso da emoção vem do fato de que ela é visível, abre-se para o exterior por meio de modificações na mímica e na expressão facial. As manifestações mais ruidosas do início da infância (choro, riso, bocejo, movimentos dos braços e das pernas) atenuam-se sem dúvida, porém a atividade tônica persiste, permitindo ao observador sensibilizado captá-la. A emoção esculpe o corpo, imprime-lhe forma e consistência; por isso Wallon a chamou de atividade "proprioplástica". Essa visibilidade faz que a tendência ao contágio tenha bases bem concretas, embora geralmente subliminares e mal identificadas. Estamos muito distantes das concepções que admitem como formas de intersubjetividade empatias imediatas, contatos diretos entre as consciências. Isso não existe aqui; o que há é um "diálogo tônico", uma comunicação forte e primitiva que se faz por intermédio da atividade tônico-postural.

A longa fase emocional da infância tem sua correspondente na história da espécie; nas associações humanas mais primitivas, o contágio afetivo supre, pela criação de um vínculo poderoso para a ação comum, as insuficiências da técnica e dos instrumentos intelectuais. Enquanto não for possível a articulação sofisticada de pontos de vista bem diferenciados, a emoção garantirá, para o indivíduo como para a espécie, uma forma de solidariedade afetiva. As culturas primitivas dispõem de rituais capazes de desencadear disposições coletivas para o combate: as danças guerreiras são geralmente coreografias em que o elemento preponderante é o rítmico, precisamente aquele capaz de gerar excitação devido à elevação do tônus.

AFETIVIDADE E INTELIGÊNCIA

A afetividade, nessa perspectiva, não é apenas uma das dimensões da pessoa: ela é também uma fase do desenvolvimento, a mais arcaica. O ser humano foi, logo que saiu da vida puramente orgânica, um ser afetivo. Da afetividade diferenciou-se, lentamente, a vida racional. Portanto, no início da vida, afetividade e inteligência estão sincreticamente misturadas, com o predomínio da primeira.

A sua diferenciação logo se inicia, mas a reciprocidade entre os dois desenvolvimentos se mantém de tal forma que as aquisições de cada uma repercutem sobre a outra permanentemente. Ao longo do trajeto, elas alternam preponderâncias, e a afetividade reflui para dar espaço à intensa atividade cognitiva assim que a maturação põe em ação o equipamento sensório-motor necessário à exploração da realidade.

A partir daí, a história da construção da pessoa será constituída por uma sucessão pendular de momentos dominantemente afetivos ou dominantemente cognitivos – não paralelos, mas integrados. Cada novo momento terá incorporado as aquisições feitas no nível anterior, ou seja, na outra dimensão. Isso significa que a afetividade depende, para evoluir, de conquistas realizadas no plano da inteligência, e vice-versa.

A ideia de fases do desenvolvimento da inteligência é bastante familiar; bem menos comum é a noção de etapas da afetividade fora da psicanálise, na qual ela se aplica a uma sexualidade que se desenvolve à margem da racionalidade. Aqui existe a suposição de que ela incorpora de fato as construções da inteligência, e por conseguinte tende a se racionalizar. As formas adultas de afetividade, por essa razão, podem diferir enormemente das suas formas infantis.

No seu momento inicial, a afetividade reduz-se praticamente às suas manifestações somáticas; vale dizer, é pura emoção. Até aí, as duas expressões são intercambiáveis: trata-se de uma afetividade somática, epidérmica, em que as trocas afetivas dependem inteiramente da presença concreta dos parceiros.

Depois que a inteligência construiu a função simbólica, a comunicação se beneficia, alargando o seu raio de ação. Ela incorpora a linguagem em sua dimensão semântica, primeiro oral, depois escrita. A possibilidade de nutrição afetiva por essas vias passa a se acrescentar às anteriores, que se reduziam à comunicação tônica: o toque e a entonação da voz. Instala-se o que se poderia denominar forma cognitiva de vinculação afetiva. Pensar nessa direção leva a admitir que o ajuste fino da demanda às competências, em educação, pode ser pensado como uma forma muito requintada de comunicação afetiva.

Em seu último grande momento de construção, a puberda-de, retorna para o primeiro plano um tipo de afetividade que incorporou a função categorial (quando esta se construiu, evidentemente). Nasce então aquele tipo de conduta que coloca exigências racionais às relações afetivas: exigências de respeito recíproco, justiça, igualdade de direitos etc. Não as atender tende a ser percebido como desamor – o que ocorre frequentemente entre adolescentes e seus pais, quando estes persistem em alimentá-los com um tipo de manifestação que não corresponde mais às expectativas da sua nova organização afetiva.

Enfrentando o risco do esquematismo, falaríamos então em três grandes momentos: afetividade emocional ou tônica, afetividade simbólica e afetividade categorial: o qualificativo corresponde ao nível alcançado pela inteligência na etapa anterior.

Nos momentos dominantemente afetivos do desenvolvimento, o que está em primeiro plano é a construção do sujeito, que se faz pela interação com os outros sujeitos; naqueles de maior peso cognitivo, é o objeto, a realidade externa, que se modela, à custa da aquisição das técnicas elaboradas pela cultura. Ambos os processos são, por conseguinte, sociais, embora em sentidos diferentes: no primeiro, social é sinônimo de interpessoal; no segundo, é o equivalente de cultural.

Tudo o que foi afirmado a respeito da integração entre inteligência e afetividade pode ser transposto para aquela que se realiza entre o objeto e o sujeito. Deve-se então concluir que a construção do sujeito e a do objeto alimentam-se mutuamente, e até mesmo afirmar que a elaboração do conhecimento depende da construção do sujeito nos quadros do desenvolvimento humano concreto.

AS ETAPAS DA CONSTRUÇÃO DO EU

A construção do Eu mergulha suas raízes em uma etapa orgânica, que corresponde ao acabamento da embriogênese fora do útero materno. Durante os três primeiros meses, o recém--nascido dorme durante a maior parte do tempo e responde a estímulos de natureza interna, às suas próprias sensações viscerais e posturais, muito mais do que a estímulos do ambiente externo. Wallon admite a existência de fases centrípetas e anabólicas (as de predomínio afetivo) e centrífugas e catabólicas (predomínio da inteligência).

O recém-nascido seria centrípeto em sentido radical: está ocupado primordialmente com seu "Eu" corporal e reage muito pouco aos objetos do mundo físico.

O ponto de partida do longo desenvolvimento que conduzirá ao pensamento categorial e à personalidade diferenciada são os movimentos reflexos (como é universalmente reconhecido) e os impulsivos. Ter dado ênfase a estes últimos é contribuição original de Wallon; seu caráter global, incoordenado, ineficaz, sempre os tornou negligenciados pelos observadores. Os movimentos dos braços e pernas do bebê são tão completamente inoperantes que não têm como efeito sequer tirá-lo de uma posição incômoda ou perigosa. Mas, assinala Wallon, na medida em que exprimem estados de desconforto ou bem-estar, são interpretados pelo ambiente como sinais de necessidades a ser atendidas. Assim, depressa se tornam movimentos comunicativos pelos quais o lactante atua, indiretamente, sobre o meio físico. A mediação social está, pois, na base do desenvolvimento: ela é a característica de um ser que Wallon descreve como "geneticamente social", radicalmente dependente dos outros seres para subsistir e se construir na condição de ser da mesma espécie.

Assim, em poucas semanas, em função das respostas do meio humano, os movimentos impulsivos se tornam movimentos expressivos: a partir daí, até o final do primeiro ano, o principal tipo de relação que o bebê manterá com o ambiente será de natureza afetiva: é o período emocional, fase mais arcaica da vida humana. Ao longo de seu curso, mesmo aquilo que interessa à vida de relação, e por conseguinte à atividade cognitiva, como os estímulos auditivos e visuais, desperta não reações exploratórias, mas respostas afetivas: alegria, surpresa, medo. Daí a afirmação walloniana de que a inteligência não se dissociou ainda da afetividade, cuja consequência inevitável é que, nesse momento, estimular a primeira equivale a nutrir a segunda. O bebê, que trava com a mãe aquilo que Ajuriaguerra chamou de "diálogo tônico", depende de toques, carícias, contatos visuais, da voz em seus aspectos mais elementares: melodia, ritmo, altura, modulação. Aos 6 meses, a presença humana é o mais poderoso estimulante; o interesse pelas coisas é um derivado. Objetos oferecidos por pessoas têm muito maior probabilidade de produzir interesse. Movimentos e vozes humanas constituem o espetáculo mais interessante, incomparavelmente mais atraente do que os fenômenos do mundo físico.

A maturação das possibilidades sensoriais e motoras altera esse quadro na medida em que produz as competências necessárias à exploração direta do meio. Por volta da metade do segundo semestre, o olhar está completando a lenta evolução que, a partir do acompanhamento de uma trajetória simples, horizontal, levou à possibilidade de seguir um objeto ao longo de qualquer deslocamento, por mais complexo que seja. Pelo final do primeiro ano, a preensão mais eficiente, peculiar à espécie humana – aquela que opõe o polegar ao indicador –, poderá ser realizada, superando as canhestras preensões palmares. A complementaridade na atuação das duas mãos instala-se também: define-se uma mão diretora e uma auxiliar na atividade. Capaz de explorar visualmente o ambiente, de pegar e largar efetivamente os objetos, falta apenas deslocar-se com autonomia. Quando aprende a andar, completam-se as competências necessárias e configura-se uma nova fase, de orientação inversa à anterior. Agora o intenso interesse pela realidade externa surge e se manifestará pela atividade exploratória imoderada.

Sensório-motor e projetivo é a denominação que Wallon atribui a esse período. Em sua primeira parte, ela é familiar e vem ao encontro do que se tornou o ponto de referência obrigatório da psicogênese dos processos cognitivos, a teoria piagetiana. A segunda parte é cunhada no interior da concepção walloniana, e faz referência ao caráter de exteriorização do processo ideativo em seus primórdios. "Projetivo" é o equivalente a "simbólico", desde que se tenha em mente o fato de que a função simbólica, no início, depende ainda das manifestações motoras que terminará por interiorizar e assim inibir (ou pelo menos reduzir às suas manifestações puramente tônicas). Na criança, como na "mentalidade epilética" que descreveu, Wallon assinala o fato de que os gestos da mímica ou da fala apoiam e até conduzem o pensamento, ainda frágil. Com essa expressão revelam-se as sutis relações entre gesto--intenção, palavra-ideia, que tendem a se inverter ao longo do desenvolvimento. No início, o gesto gráfico precede a intenção: o projeto é uma resultante, antes de ser um controlador do gesto que realiza o desenho. No discurso, a palavra disponível, seja em seu aspecto semântico, seja em seu nível puramente sensorial de ressonâncias e rimas, conduz a ideia. Só muito mais tarde, quando o processo pensante for mais sólido, a ideia presidirá à busca e à escolha da palavra.

Desde então, a recuperação da autonomia do gesto e a brincadeira livre com a musicalidade das palavras constituirão um objetivo, muitas vezes difícil de atingir, para os artistas gráficos ou verbais que buscam libertar o gesto e a palavra do controle da consciência e assim reabrir os espaços da criação.

Isso constitui um claro exemplo da necessidade de pensar o desenvolvimento como um processo não linear, que precisa por vezes voltar atrás para recuperar possibilidades atrofiadas pela tendência imperialista da corticalização, do voluntário e do lógico. Essa tarefa é incompatível com uma visão continuísta e unidimensional; fica mais bem servida no quadro explosivo e ziguezagueante de uma psicogenética em que dialético é sinônimo de contraditório e paradoxal.

Outra peculiaridade na concepção dessa etapa, localizada entre o segundo e o quarto anos, é a aproximação entre sensório-motor e simbólico. Aqui, a ruptura ocasionada pela entrada em cena da função simbólica segue muito de perto a incontinência exploratória da motricidade. Em rápida sucessão, instalam-se duas possibilidades muito diferentes de lidar com o real: a maneira direta, instrumental, que corresponde à gestualidade práxica, e a maneira simbólica, na qual o objeto não é o que é e sim o que significa. A dissociação entre significante e significado introduz uma nova dimensão na gestualidade, para a qual Wallon cunhou a expressão "ideomovimento". Os gestos simbólicos não são instrumentais nem expressivos: eles transportam uma ideia que não é determinada pelo objeto manuseado. Quase ao mesmo tempo em que se torna apta a atuar por si mesma sobre a realidade, a criança humana, graças à sua condição de herdeira da cultura, torna-se também capaz de transcendê-la. A partir daí, a história do desenvolvimento da sua inteligência será também a história da superação do aqui e agora, no qual se incluem os seus estados afetivos momentâneos.

O antagonismo existente entre o ato motor e o ato mental opera no sentido de iniciar a lenta inibição (sinônimo de interiorização) da motricidade; a denominação "sensório-motor/projetivo" indica a proximidade entre uma forma de lidar com a realidade e aquela outra que a reduzirá. Quando atinge o seu apogeu, a gestualidade traz consigo o germe da função que tornará, em certo sentido, regressiva a sua evolução. O destino da evolução psicomotora é a economia, a especialização, a virtualização. Realizar mentalmente um gesto consiste em antecipar as suas consequências, economizá-lo: é isso que faz a filha de Piaget ao afastar do raio de ação da porta um objeto antes que o gesto de abri-la o coloque fora do seu alcance. Utilizar apenas os grupos musculares diretamente envolvidos nas tarefas, mantendo imóveis os que não participam delas: tal especialização garante não apenas a economia do esforço, mas também a independência do resto do corpo, abrindo a possibilidade para ações complementares simultâneas.

A intensa atividade cognitiva dessa fase dá lugar a uma igualmente intensa atividade de construção de si. O primeiro período tinha realizado um esboço de recorte corporal. A exploração sistemática dos próprios limites, a surpresa na descoberta de pés e mãos prosseguirá na etapa seguinte, que é centrífuga, exteroceptiva, com tomada de posse da própria imagem ao espelho. Conhecer-se de fora para dentro depois de se ter conhecido de dentro para fora. Agora instrumentada pela função simbólica, a percepção de si poderá transformar-se em "consciência de si", ampliando-se na direção do passado e do futuro. A tarefa evolutiva prioritária passa a ser essa, e ela corresponde a trazer para o plano da pessoa uma conquista que é da ordem da inteligência.

Tal elaboração se faz pela interação, sem dúvida, mas por um tipo especial de interação, caracterizado pela oposição e negação do outro: é pela expulsão do que há de alheio dentro de si que se fabrica o Eu. A simbiose fetal, prolongada na simbiose alimentar e afetiva do lactante, precisa ser rompida para dar lugar a uma individualidade diferenciada. É necessária uma ruptura, que assume um caráter muitas vezes explosivo. O conflito faz parte do desenvolvimento normal; desempenha uma função dinamogênica, ativadora.

A construção do Eu é um processo condenado ao inacabamento: persistirá sempre, dentro de cada um, o que Wallon chama de "fantasma do outro", de sub-eu (*sous-moi*). Controlado, domesticado normalmente, o "outro" pode irromper nas patologias, oferecendo o quadro das personalidades divididas. Mesmo dentro da normalidade, estados passionais momentâneos, cansaço, intoxicação podem borrar as fronteiras precárias que separam o mundo interno do mundo externo.

É esse drama que ocupa dominantemente o quarto, o quinto e o sexto anos, numa sucessão de manifestações que vão da rebeldia e do negativismo em estado quase puro à sedução do outro e depois à sua imitação. Conquistado na batalha, o eu ainda frágil precisa da admiração alheia para completar a sua construção, e assim oferece-se em espetáculo. Depois, usa o outro que negou ferozmente há pouco como modelo para a ampliação das próprias competências. É inevitável a tentação de aproximar essa descrição daquela que a psicanálise faz do drama edipiano. Conflito, sedução, identificação, os mesmos elementos, mais ou menos na mesma época, estão presentes, mas de forma laicizada. Eles dão colorido à relação com os outros em geral, e não apenas com a figura paterna.

Essa sucessão de predominâncias corresponde a uma sequência de necessidades a ser atendidas; fica bem claro, embora apenas implícito na teoria, o que cabe à educação em cada um dos seus momentos. A satisfação das necessidades orgânicas e afetivas, a oportunidade para a manipulação da realidade e a estimulação da função simbólica, depois a construção de si mesmo. Esta exige espaço para todo tipo de manifestação expressiva: plástica, verbal, dramática, escrita, direta ou indireta, por meio de personagens suscetíveis de provocar identificação. Uma dieta curricular exclusivamente constituída de atividades de conhecimento da realidade estaria obstruindo grandemente o desenvolvimento, se essa concepção estiver correta.

A tempestade do personalismo, se teve um final feliz, permitiu a superação do sincretismo da pessoa. Tal realização poderá então ser transposta para o plano da inteligência e permitir a gradual superação do sincretismo do pensamento. A diferenciação dos pontos de vista supõe a diferenciação das pessoas: um certo nível de evolução da pessoa é condição essencial para o progresso da inteligência.

Ele não é condição única, entretanto. Ambos, na realidade, dependem de acontecimentos que ocorrem nos dois níveis que constituem os subterrâneos do psiquismo: o biológico e o social. É preciso que a maturação cerebral esteja possibilitando a interconexão entre as zonas do córtex (o despertar das zonas terciárias, dir-se-ia hoje, segundo as descrições de Luria). Esta, por sua vez, depende tanto da higidez do organismo quanto da estimulação ambiental. No plano social, são necessárias não só a interação, já superenfatizada, mas também a transmissão de conteúdos por meio do veículo linguístico. O refinamento das diferenciações conceituais depende tanto das possibilidades intelectuais de cada um quanto do grau de elaboração atingido pela cultura.

Em função desses determinantes, a inteligência prosseguirá a sua tarefa de buscar acordo com as coisas e consigo mesma. O confronto com as pessoas, aqui, é substituído pela resistência dos objetos. Aquela dupla dificuldade é fator de ativação do pensamento em sua marcha na direção da etapa categorial. Essa é a expressão que Wallon utiliza para indicar a aquisição da capacidade conceitual, e com ela a possibilidade de definir e explicar. Estreitamente dependente dos conteúdos, ela implica a superação, lenta e difícil, das tendências sincréticas da inteligência infantil, ainda pouco diferenciada da afetividade. Diferenciação e integração, análise e síntese, relações articuladas entre ideias e coisas substituirão o amálgama sincrético. Diante de objetos desconhecidos, de conteúdos estranhos, entretanto, até mesmo a inteligência adulta recai em confusões sincréticas.

Este não é o lugar de entrar em detalhes sobre o funcionamento do pensamento sincrético; basta aqui grifar a sua relação com a etapa seguinte da construção da pessoa que se inaugura com a explosão pubertária. É a segunda e última crise construtiva; ela parte de uma ruptura profunda, que se dá no nível somático e impõe toda uma reconstrução do esquema corporal. A canhestria juvenil indica o desconforto com suas novas dimensões; é preciso reinstalar-se dentro do próprio corpo, conviver com seus apelos novos. A par disso, a função categorial, ampliando o alcance da inteligência, abriu espaço para novas definições do Eu. A pessoa se abre para dimensões ideológicas, políticas, metafísicas, éticas, religiosas que precisa ocupar. Se a interpretação walloniana da adolescência estiver correta, o interesse teórico do jovem estará longe de ser impessoal e abstrato: ele será, pelo contrário, um caso pessoal, passional mesmo, em que a grande questão é descobrir de que lado ele próprio estará. A ampliação se dá também na dimensão temporal: agora o projeto (o futuro) tem tanta importância para defini-lo quanto tinha a memória (o passado) para definir a criança.

Desde a etapa anterior a personalidade vinha se tornando "polivalente", isto é, capaz de assumir diferentes funções e ocupar diferentes posições nos vários grupos. Isso agora se reforça e se amplia, confrontando o jovem com a tarefa imposta por toda a diferenciação: realizar a integração complementar, sob pena de desintegrar-se. Manter um eu diferenciado e, ainda assim, integrado, não é tarefa simples: ela requer de fato toda a extensão da inteligência.

INTELIGÊNCIA E PESSOA

Nessa vinculação está uma das mais belas intuições da teoria walloniana: a de que a sofisticação dos recursos intelectuais é utilizável na elaboração de personalidades ricas e originais. Nesse sentido, a construção do objeto está a serviço da construção do sujeito: quem fala é nitidamente o psicólogo, e não o epistemólogo. O produto último da elaboração de uma inteligência concreta, pessoal, corporificada em alguém, é uma pessoa. A construção da pessoa é uma autoconstrução.

O processo que começou pela simbiose fetal tem no horizonte a individualização. Paradoxalmente, poder-se-ia afirmar dessa individuação que ela vai de um tipo de sociabilidade para outro, por intermédio da socialização. Não há nada mais social do que o processo pelo qual o indivíduo se singulariza, constrói a sua unicidade. Quando ele superou a dependência mais imediata da interpessoalidade, prossegue alimentando-se da cultura, isto é, ainda do outro, na forma, agora, do produto do seu trabalho. Poderá agora "socializar-se" na solidão. Esse longo caminho leva de uma forma de sociabilidade a outra. Nunca o ser "geneticamente social" a que se refere Wallon poderia passar por uma fase pré-social. O vínculo afetivo supre a insuficiência da inteligência no início. Quando ainda não é possível a ação cooperativa que vem da articulação de pontos de vista bem diferenciados, o contágio afetivo cria os elos necessários à ação coletiva. Com o passar do tempo, a essa forma primitiva se acrescenta a outra, mas, em todos os momentos da história da espécie, como da história individual, o ser humano dispõe de recursos para associar-se aos seus semelhantes.

A ideia da construção da unicidade é luminosa; ela tem uma dimensão trágica, entretanto, no seu destino de obra muito frágil e sempre inacabada. A apreensão de si mesmo parece tão fugaz quanto uma bolha de sabão, ameaçada pelas simbioses afetivas, pelos estados pessoais de emoção ou mesmo de mero cansaço.

A alguns dos aspectos dessa interpretação da pessoa parecem aplicar-se os versos do poeta:

Perdi-me dentro de mim
Porque eu era labirinto
E agora quando me sinto
É com saudades de mim.

REFERÊNCIAS

MARTINET, M. *Théorie des émotions*. Paris: Aubier, 1972.

TRAN-THONG. *Stades et concept de stade de développement de l'enfant dans la psychologie contemporaine*. Paris: Vrin, 1978.

WALLON, H. *Les origines du caractère chez l'enfant*. Paris: PUF, 1934. [Edição brasileira: *As origens do caráter na criança*. São Paulo: Difel, 1972.]

_____. *L'évolution psychologique de l'enfant*. Paris: A. Colin, 1941.

_____. "Le rôle de l'autre dans la conscience du moi". *Enfance*, 3-4, 1959.

_____. "L'évolution dialectique de la personalité". *Enfance*, 1-2, 1963.

Apêndice –
Três perguntas a vigotskianos, wallonianos e piagetianos[1]

YVES DE LA TAILLE
HELOYSA DANTAS
MARTA KOHL DE OLIVEIRA

AS PERGUNTAS: SOBRE A UNIVERSALIDADE, A AUTONOMIA DO SUJEITO E A FALSEABILIDADE DAS RESPECTIVAS TEORIAS

Yves de La Taille

Dirijo minhas indagações a vigotskianos, wallonianos e piagetianos, e não tanto às obras de Vigotski, Wallon e Piaget. Mas por que a nuança? Por uma razão bem simples. Uma teoria científica ou filosófica não vive apenas dos textos de seu autor. Uma vez publicada, ela se torna, justamente, pública, fonte de variadas inspirações e sujeita a diversas interpretações. Ora, a presença e, sobretudo, o porvir de uma teoria dependem menos da coerência interna dos textos originais do que das inspirações e interpretações que provocaram. Além

---

1. Publicado originalmente em *Cadernos de Pesquisa*, São Paulo, n. 76, fev. 1991, p. 57-64. O artigo derivou de mesa-redonda realizada durante a XX Reunião de Psicologia da Sociedade de Psicologia de Ribeirão Preto (SP), em 1990.

do mais, ao lado da tarefa de compreensão fiel dos dizeres de um autor, há outra: a de *ir além*, no sentido de fazer que a teoria escolhida permaneça no ciclo da evolução do conhecimento. E isso, sobretudo, quando o autor está definitivamente ausente, como é o caso de Vigotski, Wallon e Piaget. Portanto, não é à tradição que me dirijo. Dirijo-me àqueles que fazem das teorias em tela um instrumento para criar.

Por essa razão, as perguntas que imaginei talvez não tenham respostas precisas fornecidas pelos próprios autores. Mas deles, certamente, podem ser retirados elementos para pensá-las e respondê-las.

A questão da universalidade

Em primeiro lugar, é preciso sublinhar que, quando se fala em universalidade, está-se, na verdade, pensando em *certo grau de universalidade*. Pouca gente ainda acredita que seja possível elaborar uma teoria que se aplique à totalidade dos seres ou situações do universo. Trata-se sempre de uma classe de fenômenos ou de sujeitos. Além do mais, sabe-se, hoje, que as teorias são provisórias, sendo cada uma progressivamente integrada a teorias mais abrangentes e fortes. A universalidade não pode, portanto, ser compreendida como o que abarca tudo para sempre.

A ideia de universalidade pressupõe que determinado fenômeno psicológico tenha um alto grau de estabilidade que o torna independente das peripécias dos diversos momentos históricos. Opõe-se, assim, à ideia de especificidade cultural: o fenômeno psicológico universal deverá ser encontrado nas diversas culturas, com traduções talvez diferentes em cada uma delas, mas possível de ser identificado por detrás destas. Universal opõe-se também a particular ou individual: o fenômeno será considerado universal quando for encontrado em todos os seres humanos (ou, então, em todos os seres humanos de mesmo sexo, de mesma faixa etária etc.). Importante notar aqui que universal não significa normal, no sentido estatístico do termo; ou seja, é universal o que se encontra em todos, e não apenas na maioria.

Isso posto, minha indagação é: as diferentes teorias aqui discutidas admitem a presença de fenômenos universais? E, em caso de resposta afirmativa, também pergunto: quais são os fenômenos universais e como é explicada a existência destes?

A questão da autonomia do sujeito

Inspiro-me, para formular a pergunta seguinte, em uma conferência proferida por Bárbara Freitag, da qual participei na condição de debatedor (Ciclo de Conferências sobre a Escola de Frankfurt, 30 de agosto de 1990 – Unesp/Araraquara). Discutindo as teorias de Habermas e Piaget, Freitag elegeu como eixo de sua intervenção justamente a questão da autonomia do sujeito.

O período do Iluminismo, seguindo caminho já aberto pelo Renascimento, estabeleceu a autonomia do homem, autonomia esta possível pelo emprego da razão. Porém, assiste-se, a partir do século 19, ao aparecimento de várias correntes que questionam tal autonomia: o homem seria, na verdade, resultado e prisioneiro de estruturas sociais, as quais ele não escolhe e das quais até desconhece os efeitos. Em resumo, o homem não seria livre, pois sua razão sofreria determinações sociais e históricas constantes e irreversíveis.

Simplificando um pouco, encontra-se essa interpretação na sociologia de Durkheim, quando este afirma que é sempre o todo que explica a parte, portanto que é o social que explica o indivíduo, limitando-se, este, a internalizar conteúdos culturais cuja produção só pode ser explicitada por mecanismos coletivos. A teoria marxista, embora empregada a serviço da liberdade do oprimido, portanto do indivíduo, também define o homem como resultado de um processo histórico sobre o qual, individualmente, ele pouco ou nada pode fazer. Ele está preso à consciência de classe, ou à ideologia imposta pela classe dominante. Pensando agora numa teoria psicológica, verificamos que o behaviorismo pouco espaço dá à autonomia do sujeito: seus comportamentos são explicados por contingências de reforços, e a sociedade utópica descrita por Skinner em *Walden II* prevê um severo adestramento, teoricamente capaz de levar o indivíduo, à *sua revelia*, para a felicidade. E até mesmo uma teoria do sujeito, como a psicanálise, também reserva a este a triste surpresa de aprender que sua consciência é uma espécie de "mala com fundo falso", fundo este repleto de razões e desejos que ela própria desconhece.

Minha pergunta refere-se a esta questão: em que medida cada uma das teorias em tela reserva uma parte, maior ou menor, de autonomia ao sujeito? Encontram-se, em cada sujeito, estruturas e mecanismos que lhe são íntimos? Que são irredutíveis a fenômenos sociais introjetados? E que lhe permitem, em algum grau, ser independente em relação a seus contemporâneos, à sua cultura? Que lhe permitem dizer *não* quando todos os outros dizem *sim*?

A questão da falseabilidade

Inspiro-me evidentemente em Popper para fazer uma indagação sobre a questão da falseabilidade. Todavia, minha preocupação não é epistemológica. Ela é bem mais simples do que isso. Quero apenas saber que dados ou fenômenos, descobertos por meio de pesquisas ou até mesmo observados casualmente no dia a dia, *surpreenderiam* um piagetiano, um walloniano ou um vigotskiano (surpreenderiam no sentido de deixá-los sem conseguir explicar o fenômeno observado).

É claro que não estou me referindo a fenômenos que fujam às pretensões explicativas e dedutivas das referidas teorias. Penso naqueles que deixariam cada teoria em contradição, acarretando assim a necessidade de uma reformulação.

Vejo importância nessa indagação hipotética por duas razões: 1) sua resposta pode nos dar preciosas informações sobre o que compõe os núcleos de cada teoria; e 2) como a ciência somente progride reformulando suas teorias, saber que fenômenos seriam contraditórios com cada uma delas pode ser fonte de inspiração para elaborarmos novas pesquisas.

A PERSPECTIVA VIGOTSKIANA

Marta Kohl de Oliveira

Inicio minhas reflexões com uma observação a respeito da pertinência da colocação inicial de Yves de La Taille sobre a importância de saber que o diálogo aqui possível se dá entre intérpretes contemporâneos de teorias que, embora produtos plenos de seus autores, são inacabadas no sentido de que permanecem vivas e sempre sujeitas a reinterpretações. O compromisso com a fidelidade ao pensamento de um autor não significa o recurso a um conjunto fechado de ideias, disponível a uma mesma compreensão por parte de qualquer indivíduo, em qualquer tempo ou lugar. Ao contrário, o valor sempre renovado de uma teoria está justamente na possibilidade de que ela seja um instrumento, provavelmente entre outros, para uma compreensão mais completa do objeto a que se refere. É como estudiosa do pensamento de Vigotski e como pesquisadora, pois, que desenvolvo estas reflexões, suscitadas pelas indagações propostas.

A questão da universalidade

A abordagem vigotskiana, largamente conhecida como abordagem sócio-histórica do desenvolvimento humano, parece, de imediato, avessa à ideia de universalidade dos fenômenos psicológicos. Dirigindo-se à questão da construção das funções psicológicas superiores no homem, Vigotski trabalha com o conceito de mediação na relação homem/mundo e com o papel fundamental do contexto cultural na construção do modo de funcionamento psicológico dos indivíduos. A contingência histórica, a especificidade cultural e a particularidade do percurso individual parecem ser, portanto, componentes essenciais da teoria vigotskiana, fazendo dela uma teoria aparentemente incompatível com a possibilidade de existência de fenômenos universais.

Reconheço em Vigotski, entretanto, para além do contingente, dois postulados básicos que tratam do universal no homem. Em primeiro lugar, a pertinência do homem à espécie humana: o indivíduo tem limites e possibilidades definidos pela evolução da espécie, que lhe fornece um substrato biológico estruturado como base do funcionamento psicológico. A ligação dessa estrutura biologicamente dada com o papel essencial atribuído aos processos históricos na constituição do ser humano se dá por uma característica universal da espécie:

a plasticidade do cérebro como órgão material da atividade mental. O cérebro é um sistema aberto que pode servir a diferentes funções (que podem ser específicas de um momento e de um lugar cultural), sem que sejam necessárias transformações morfológicas no órgão físico.

Em segundo lugar, o universal está na própria importância do fator cultural: o homem (todo e qualquer ser humano) não existe dissociado da cultura. A mediação simbólica, a linguagem e o papel fundamental do outro social na constituição do ser psicológico são fatores universais. O processo de internalização de formas culturalmente dadas de funcionamento psicológico é um dos principais mecanismos a ser compreendidos no estudo do ser humano.

A teoria de Vigotski não poderia, como teoria, deixar de admitir fenômenos universais. Trazendo a discussão para o momento atual, considero que um relativismo radical é avesso ao próprio empreendimento da ciência e, nesse sentido, o estudo do particular é sempre um passo para a compreensão do universal. Isso nos remete a um problema metodológico extremamente sério enfrentado pelas ciências humanas atualmente: as várias abordagens que admitem o homem como mais multifacetado e cheio de vida do que o objeto das ciências físicas, e que nos aproximam do "real humano" de uma forma antes só conseguida por outras vias de acesso ao conhecimento (arte, religião), podem ter-nos levado a um impasse em termos da própria ideia de ciência. Não está claro como passaremos do acúmulo de descrições e explicações do específico para a reconstrução do caminho da generalização.

A questão da autonomia do sujeito

Três elementos da teoria de Vigotski podem ser invocados para uma discussão da questão da autonomia do sujeito. Em primeiro lugar, a relação entre o indivíduo e sua cultura. A cultura não é pensada como um dado, um sistema estático ao qual o indivíduo se submete, mas como um "palco de negociações" em que seus membros estão em constante processo de recriação e reinterpretação de informações, conceitos e significados.

Em segundo lugar, a configuração absolutamente particular da trajetória de vida de cada indivíduo. Ao falar em "histórico", Vigotski não se refere apenas a processos que ocorrem no nível macroscópico. Ele fala em filogenético para a espécie, histórico para o grupo cultural, ontogenético para o indivíduo. E podemos, usando um termo contemporâneo, falar em microgenético, referindo-nos justamente à sequência singular de processos e experiências vividos por cada sujeito específico.

E, em terceiro lugar, a natureza das funções psicológicas superiores. Quando Vigotski fala em funções psicológicas superiores, principal objeto de seu interesse, refere-se a processos voluntários, ações conscientemente controladas, mecanismos intencionais. No curso do desenvolvimento psicológico, essas funções são as que apresentam maior grau de autonomia em relação ao controle hereditário. Consciência e controle (talvez metacognição, em termos contemporâneos) só aparecem tardiamente no desenvolvimento de uma função.

Partindo desses três elementos, podemos dizer que, para Vigotski, a estreita associação entre sujeito psicológico e contexto cultural não implica determinismo. Ao contrário, cada indivíduo é absolutamente único e, por meio de seus processos psicológicos mais sofisticados (que envolvem consciência, vontade e intenção), constrói seus significados e recria sua cultura.

Sem postular um determinismo histórico, mas sem ter de recorrer a uma entidade extramaterial como o "livre-arbítrio", Vigotski estabelece que o indivíduo interioriza formas de funcionamento psicológico dadas culturalmente, mas, ao tomar posse delas, torna-as suas e as utiliza como instrumentos pessoais de pensamento e ação no mundo.

A questão da falseabilidade

Vigotski nos fornece, em seus escritos, textos densos, cheios de ideias, numa mistura de reflexões filosóficas, imagens literárias e dados empíricos que exemplificam as asserções gerais que estão sendo colocadas. Em parte por seu estilo intelectual, em parte por sua morte prematura (que impediu maior desenvolvimento de suas ideias) e em parte pelo conjunto fragmentado de textos que chegou até nós, não temos de Vigotski uma teoria articulada, um sistema teórico completo que permita a geração de hipóteses específicas ou de estudos cruciais que possibilitassem a verificação de suas proposições gerais.

Assim, optei por mencionar aqui um dado de minha pesquisa, com adultos em processo de alfabetização, para pensar a questão da "surpresa de um vigotskiano". Contrariamente às minhas expectativas, observei entre esses adultos a passagem pela sequência das fases de aquisição de leitura e escrita hipotetizadas por Emilia Ferreiro, bem como a presença de outras características específicas das concepções pré-alfabéticas sobre a língua escrita (quantidade mínima e variedade de caracteres, relação entre enunciado oral e texto escrito, ideia de palavra). Sendo os adultos analfabetos estudados seres humanos maduros, inseridos no mundo urbano e letrado da cidade de São Paulo, esperava encontrar entre eles, por um lado, maior incorporação do instrumental letrado disponível em seu ambiente e, por outro, presença mais clara de processos metacognitivos no curso da aquisição das habilidades de leitura e escrita. Esse resultado abre uma vertente rica de investigação sobre o adulto analfabeto como objeto específico, mas que se liga, num plano mais geral, a duas dimensões fundamentais das proposições vigotskianas: o processo de internalização, pelo indivíduo, de instrumentos e símbolos culturalmente desenvolvidos; e a relação entre a aquisição de funções psicológicas e o controle consciente sobre essas mesmas funções.

A PERSPECTIVA WALLONIANA

Heloysa Dantas

A questão da autonomia do sujeito

As questões propostas por Yves de La Taille derivam seu grande interesse do fato de estarem postas em termos bem amplos. Daí resulta a necessidade de interpretá-las, o que já é uma forma de responder.

A questão de sujeito, por exemplo, vista de uma perspectiva walloniana, apresenta-se como o próprio núcleo da teoria. Toda ela é uma psicogênese da pessoa, isto é, do sujeito. Toda ela consiste numa tentativa de historiar o caminho que leva a indiferenciação simbiótica inicial à crescente subjetivação, com a objetivação que lhe é complementar. É a descrição de um processo de individuação realizado por meio da contradição com os outros sujeitos. É pela interação que o sujeito se constrói, pela interação dialética, vale dizer, contraditória. Isso se dá dentro do quadro de uma dupla determinação a que Wallon dá o nome de "inconsciente biológico e inconsciente social". O sujeito individual é precedido por um organismo estruturado de maneira a lhe abrir possibilidades e a lhe impor limites, e igualmente antecedido por um acúmulo cultural que estrutura sua consciência, pois começa lhe impondo as formas de sua língua.

A autonomia possível ao sujeito oscila, assim, entre os limites colocados pela biologia e aqueles construídos pela história humana, fonte dos conteúdos da mente. Ele será sempre um sujeito datado, preso às determinações de sua estrutura biológica e de sua conjuntura histórica.

Em relação à sua cultura particular, entretanto, ele pode até certo ponto transcendê-la, precisamente pelo acesso às demais culturas. Essa possibilidade de nenhum modo lhe é vedada no interior da teoria walloniana. A relação do sujeito com os outros sujeitos e, por conseguinte, com seu produto cultural, será sempre uma relação contraditória, por sua própria natureza impelida à explosão. A ideia de conflito autógeno, de permanente tensão intra e interpessoal, confere a essa concepção do sujeito um tom dinâmico que é profundamente libertador. Na oposição ao outro e a seus produtos, o sujeito simultaneamente se constrói e se liberta.

A questão da universalidade

Essas considerações direcionam a resposta à outra questão, a da universalidade do sujeito. Na verdade, as duas podem ser vistas como complementares, quase o reverso uma da outra: a universalidade do sujeito opõe-se à autonomia do sujeito e, nesse sentido, a resposta afirmativa a uma determina a resposta negativa à outra. Universalidade opõe-se aí a historicidade, a relativismo cultural e a individualidade.

O que, no sujeito humano, não é histórico, nem culturalmente determinado, nem individualmente variável? Quase nada, diria certamente um walloniano, invocando sua afirmação explícita de que "nada há de absoluto na razão humana".

Pela via que adotou, a análise do pensamento discursivo, linguisticamente determinado, não seria possível concluir outra coisa. A evolução do pensamento, que separa o sincretismo infantil da capacidade categorial do adulto, se dá no sentido da diferenciação conceitual cada vez mais fina. Esta, por sua vez, depende da maior ou menor quantidade de conceitos prontos que a cultura tenha a lhe oferecer. Não é possível, dessa forma, concluir senão pela importância decisiva desta última, pela historicidade radical da função pensante. Certamente a escolha da matemática como expressão e modelo da razão humana leva a outras conclusões. É inevitável, aqui, o surgimento da indagação em torno da necessidade de qualificar o pensamento em duas modalidades, uma operatória e outra discursiva, desigualmente sujeitas à determinação cultural. Isto tornaria proibitivo o uso do conceito de "pensamento" sem qualificá-lo, ilustrando aqui mesmo a ideia walloniana de evolução por diferenciação conceitual.

Se no plano dos processos cognitivos a universalidade, entendida como a-historicidade, fica afastada, resta entretanto outra dimensão do psiquismo, a afetiva, que, mais próxima das determinações do organismo, tem a mesma universalidade que este.

Torna-se necessário, porém, fazer um reparo. A concepção walloniana do cérebro (que acredito ser a mesma de Luria) hierarquiza-o de tal maneira que as funções subcorticais são mais rígidas e as funções corticais guardam um espaço maior de indeterminação. Chame-se a isso sistema aberto ou semiprogramação; parece haver acordo quanto ao fato de que, quanto mais complexa uma função, mais indeterminada, maior o espaço aberto à informação cultural. Dever-se-ia, portanto, concluir que as funções psíquicas mais primitivas seriam mais biologicamente determinadas e, nesse sentido, mais universais.

A questão da falseabilidade

Quanto à questão da falseabilidade, é preciso ponderar que responder diretamente a ela, tal como está formulada, equivale a submeter-se a um critério popperiano de verdade que pode, ele próprio, ser questionado. Sua aplicação rigorosa deixaria fora do campo do interesse científico toda a psicanálise, resultado, a meu ver, inaceitável.

Certamente não seria a um critério desse tipo que uma concepção materialista dialética como a walloniana iria se submeter.

A questão precisa, então, ser recolocada nos termos de indagar qual é o critério consistente com sua própria opção epistemológica. Esse não é um tema tratado no interior da teoria, e exige que o leitor se responsabilize pela resposta. É possível afirmar sem grande risco, porém, que, como materialista dialético, seu critério de verdade é histórico, o que equivale a dizer provisório e relativo. Não pretende alcançar verdades definitivas, mas tão somente contribuir para o resíduo histórico do qual resulta o conhecimento.

Seu "valor de verdade" deve ser avaliado em função de sua capacidade heurística, de seu potencial dinamogênico.

Ela está na medida, também, de sua maior ou menor felicidade na proposição de questões, dentro da concepção de que disso depende a possibilidade de fazer avançar o conhecimento. No caso da teoria walloniana, a pergunta fundamental diz respeito à formação da "pessoa concreta", sinônimo de "pessoa completa", isto é, investigada em seu organismo biológico e em sua ambientação social.

O "valor de verdade" deve ainda ser analisado em sua dimensão metodológica, pois admite que o método empregado determina a "verdade" a ser obtida e, por conseguinte, precisa adequar-se a seu objeto de investigação. Qual é o método capaz de dar conta do estudo da pessoa completa? Só a observação, responde, a observação histórica, genética. Ficaria assim reduzida a psicologia à psicogenética? Como investigar contextualmente o psiquismo adulto? Estaria a saída no rumo da "psicologia histórica"?

É este provavelmente o calcanhar de aquiles da teoria walloniana: seu propósito de jamais quebrar a inteireza da pessoa, que coloca exigências metodológicas extremamente difíceis de atender.

Para entrar um pouco no jogo proposto pela pergunta, poder-se-ia dizer que a teoria walloniana da emoção, por exemplo, seria desmentida pela ocorrência de variações emocionais sem variações tônicas, ou que sua psicogenética seria falseada pela presença maior de comportamentos definidos como cognitivos do que afetivos na primeira fase do desenvolvimento humano (o primeiro ano de vida); ou pela presença dominante de conceitos e procedimentos mentais bem diferenciados aos 5 anos de idade; ou ainda pela ausência de comportamentos de oposição e afirmação do eu entre os 2 e os 4 anos de idade.

A PERSPECTIVA PIAGETIANA

Yves de La Taille

A questão da universalidade

Não há dúvidas de que a teoria de Piaget ilustra uma busca da universalidade. Aliás, é justamente para essa pretensão que as críticas a ela feitas costumam apontar. Ver-se-ão, por exemplo, autores afirmando que Piaget desprezou as influências do meio social para explicar o desenvolvimento cognitivo das crianças. Vale dizer que, para eles, Piaget acreditaria que cada indivíduo, justamente graças a certas características universais, passaria de certa maneira incólume pelas diversas contingências históricas às quais é obrigatoriamente submetido. E as pesquisas para contrapor tal ponto de vista procuram mostrar que, dependendo do meio em que vive, o sujeito se apresenta de uma forma ou de outra.

Não cabe discutir aqui se Piaget levou ou não em conta a influência do meio social em sua teoria. Aliás, a questão seria mais bem formulada se nos perguntássemos se ele avaliou tal influência, uma vez que, em seus *Estudos sociológicos*, sua presença é afirmada sem ambiguidades. Acredito que discorrer um pouco sobre o que são os fatores universais afirmados por Piaget pode, indiretamente, ajudar nessa discussão.

Antes de mais nada, é preciso atentar para o objeto de estudo de Piaget: o sujeito epistêmico, ou seja, o sujeito do conhecimento. Vê-se que, pela própria eleição de seu objeto de estudo, Piaget já explicou sua busca da universalidade. De fato, o sujeito epistêmico é aquele que, teoricamente, estaria em cada um de nós (sujeitos psicológicos), permitindo-nos, cada qual em sua cultura, portanto cada qual em meio às contingências por que passa, construir conhecimentos (científicos ou não). Vale dizer que, por detrás das diferentes estratégias de produção destes, que variam de uma cultura para outra e até mesmo de um sujeito para o outro, haveria mecanismos comuns, portanto universais. Por conseguinte, é na explicação desses mecanismos que se deve procurar compreender a questão da universalidade em Piaget.

Vamos começar pela hipótese da *equilibração*, central para a epistemologia genética. Como se sabe, Piaget inspirou-se na biologia para postular que o desenvolvimento é um caminhar rumo ao equilíbrio, caminhar esse característico de todo e qualquer indivíduo, seja qual for seu sexo, idade ou cultura. A teoria da equilibração deve ser compreendida dentro de outra, a teoria de sistema, assumida por Piaget para explicar a inteligência. Para ele, a inteligência humana deve ser entendida como um sistema cognitivo, sistema este ao mesmo tempo aberto e fechado; aberto no sentido de que se alimenta, por meio da ação e da percepção do sujeito, de informações extraídas do meio social e físico; fechado no sentido de que o sistema em questão não se confunde com uma página em branco, sobre a qual as informações recebidas simplesmente se inscreveriam, mas é, sim, dotado de capacidade de organização (ciclos). O desenvolvimento cognitivo ocorre, então, pelo constante contato do sistema cognitivo com informações vindas do meio, e pelo não menos constante processo de restruturação que visa, justamente, fazer que o sistema atinja o equilíbrio e nele permaneça. Essas constantes restruturações ou reequilibrações passam por grandes etapas (os famosos estágios do desenvolvimento); mas se compreende que passar por todas elas não é o destino pré-programado de cada sujeito: depende da solicitação do meio, à qual o sistema cognitivo "reagirá" construindo novas e superiores estruturas mentais.

À hipótese central da equilibração associam-se conceitos que também são considerados como descrevendo processos universais.

O primeiro deles é o conceito de reversibilidade. A reversibilidade das operações mentais pode ser simplesmente postulada pela Lógica sem, portanto, maiores compromissos com afirmações de cunho epistemológico e psicológico. Com Piaget, porém, ela adquire uma explicação causal que visa explicar por que é característica sempre presente no pensamento adulto. Necessária à eficácia e à coerência do pensamento simbólico, portanto, necessária ao equilíbrio do sistema cognitivo (permite evitar contradições), a reversibilidade não é qualidade inata, nem simples aprendizagem dos códigos linguísticos: é construída ativamente pelo sujeito durante seu desenvolvimento cognitivo. Sua conquista e sua presença final são, portanto, a prova de que o sistema cognitivo caminha em direção ao equilíbrio.

Sendo a reversibilidade das operações uma construção do sujeito, dois outros conceitos explicitam o mecanismo dessa construção: regulação e compensação, que traduzem o funcionamento do sistema em busca de seu equilíbrio. Será, portanto, universal o fato de uma criança apresentar, no início de seu desenvolvimento, compensações incompletas, notadamente entre afirmações e negações (causa de irreversibilidade de seu pensamento pré-operatório). Decorrentemente, será também universal ela caminhar, por meio de regulações ativas, para tais compensações e atingir o pensamento operatório (daí a importância do conflito cognitivo, desequilíbrio momentâneo que mobiliza o sistema para a busca de um novo ponto de equilíbrio).

Finalmente, os conceitos de *abstração reflexiva* e *generalização construtiva* descrevem como um sujeito passa de um nível X para um nível superior Y. Eles explicam como o sujeito constrói novos conhecimentos, atingindo para isso níveis superiores de equilíbrio cognitivo (equilibração majorante).

Em resumo, para Piaget, por detrás das variadas formas que o espírito humano criou para construir suas diferentes culturas, encontram-se invariantes funcionais, que acabamos de mencionar por intermédio de diversos conceitos. Aliás, foi justamente para procurar confirmar tal hipótese que Piaget e Rolando Garcia estudaram a história das ciências (*Psychogénèse et histoire des sciences*): para tentar verificar a presença de tais invariantes. Ao contrário do que se tem por vezes sugerido, essa procura não significa afirmar que a ontogênese repete a filogênese: significa apenas dizer (e já é muito!) que a construção do conhecimento se processa por meio de certos mecanismos, iguais para todos os seres humanos, e que, portanto, têm um grau de independência em relação às variáveis sócio-históricas.

A questão da autonomia do sujeito

Na teoria de Piaget, a autonomia do sujeito é afirmada em alto e bom tom! É certamente por esse motivo, aliás, que vários apaixonados pelo humanismo, ou seja, aqueles para os quais o ser humano goza de grande estima, sentem-se atraídos pela teoria construtivista. Diga-se de passagem que cada um de nós, cientistas humanos, via de regra escolhe seguir uma teoria tanto pela ética que ela traduz quanto pelos dados empíricos e pela coerência conceitual que ela contém.

Isso posto, vamos verificar que a autonomia do sujeito se encontra, na teoria de Piaget, em dois domínios, ambos relacionados com a razão.

O primeiro deles é a própria construção dessa razão. Inútil insistir nesse ponto. Basta lembrar que, para a epistemologia genética, o pensamento racional é, entre outras coisas, fruto da abstração reflexiva, ou seja, do esforço que o sujeito faz para pensar seu próprio pensar ou agir. Vale dizer que uma das fontes essenciais ao desabrochar da razão encontra-se no próprio sujeito. Isso não significa dizer que o sujeito é independente do meio social onde vive, pois, sem a solicitação deste, a abstração reflexiva poderia não ser desencadeada. Mas tal dependência não significa heteronomia, uma vez que o processo de construção de estruturas mentais é obra do sujeito, obra essa que ninguém pode fazer por ele e cujos resultados traduzem as potencialidades nele inscritas. Em resumo, no que tange à construção da razão, a autonomia explicita-se pela participação irredutível e indispensável do indivíduo na elaboração de novas formas de pensar e novos conhecimentos. Respondendo a uma das perguntas colocadas, podemos, portanto, afirmar que para Piaget encontram-se, em cada sujeito, estruturas e mecanismos que lhe são íntimos, pois são irredutíveis a fenômenos sociais introjetados. E, embora Piaget tenha insistido na necessidade da cooperação, de troca de pontos de vista entre pares para a busca de conhecimentos, seu conceito de abstração reflexiva não deixa de lembrar o trabalho do sábio que se eleva acima de seus semelhantes pela autorreflexão, reflexão esta, no entanto, somente possível a partir da ação sobre o mundo.

O segundo domínio em que encontramos a afirmação da autonomia do sujeito não diz mais respeito à construção da razão, mas à sua função. É nesse domínio, inclusive, que Piaget usa explicitamente o termo autonomia.

Comecemos por uma citação:

Não basta, para que se possa falar de verdade racional, que o conteúdo das afirmações seja conforme à realidade: é preciso, ainda, que tal conteúdo tenha sido obtido por uma *démarche* ativa da razão, e que a razão ela mesma seja capaz de controlar o acordo ou o desacordo de seus juízos com a realidade. (Piaget, *Le jugement moral chez l'enfant*, 1932, p. 325)

Para Piaget, eis a definição da autonomia: graças ao uso da razão, o sujeito pode, ele mesmo, portanto só, estabelecer suas certezas, liberando-se do que a tradição procura pura e simplesmente impor às diversas consciências. A autonomia intelectual é fruto dos poderes da razão que, a crenças, substitui a demonstração. A autonomia moral é também fruto da razão que, ao dogma, opõe a justificação racional. O "herói" piagetiano é, portanto, aquele que pode dizer "não" quando o resto da sociedade, possível refém das tradições, diz "sim", contanto que esse "não" seja fruto dessa *démarche* intelectual ativa e não apenas decorrência de um ingênuo espírito de contradição.

Em resumo, o indivíduo, tal como concebido por Piaget, é capaz, graças à razão (ela mesma por ele construída), de se opor à autoridade, seja ela dos pais ou das diversas instituições – como os partidos, as escolas ou as igrejas.

Todavia, há uma condição que Piaget postula para a conquista de tal autonomia: que o indivíduo possa ter a oportunidade de usufruir de relações sociais de cooperação (*co-operação*, como costuma escrever o autor para sublinhar a origem etimológica do termo). As relações de coerção embotam o desenvolvimento, roubando à criança e ao adulto a possibilidade de se emancipar intelectual, moral e afetivamente. Somente as relações sociais que permitem o livre intercâmbio de pontos de vista permitem a autonomia. É por isso que a filosofia piagetiana é, na verdade, militante: defende a democracia contra todas as formas de autoritarismo e de totalitarismo.

Para as possíveis aplicações da teoria piagetiana à educação, tal fato é de suma importância: muito mais do que um método pedagógico, uma técnica, da teoria de Piaget decorre uma atitude ética e política. Nesse sentido, aqueles que simpatizam com suas ideias devem ser, antes de tudo, amantes da liberdade e otimistas quanto à sua realização histórica.

A questão da falseabilidade

Pelo fato de a teoria piagetiana ter obtido renome internacional, inspirando inúmeros pesquisadores, não faltam aqueles que procuram criticá-la e desmenti-la.

Tipos muito frequentes de crítica se traduzem por duas considerações opostas entre si. A primeira consiste em mostrar que as crianças, notadamente os bebês, são mais precoces do que Piaget imaginava. A segunda, pelo contrário, acusa o otimismo de Piaget em relação às altas capacidades cognitivas do ser humano: alunos, já na faculdade, mostrar-se-iam incapazes de resolver problemas envolvendo operações hipotético-dedutivas, ou alguns indivíduos, bem desenvolvidos na área cognitiva, mostrariam uma moralidade bem abaixo do esperado.

A rigor, esse duplo conjunto de crítica nos reaproximaria de dois polos de que Piaget quis se afastar: a precocidade levaria a repensar a hipótese inatista e o "atraso", a hipótese ambientalista.

Tais dados sobre precocidade ou atraso surpreendem um piagetiano? Sem dúvida. Afinal, uma teoria deve permitir certo grau de previsão. Mas, a não ser que se volte a um dos polos (inatismo ou ambientalismo), a hipótese de construção ainda merece atenção. Tratar-se-ia de completá-la, de complexificá-la. Além do mais, a precocidade de alguns raciocínios, que parecem ser isolados, ainda não fere a ideia de estrutura: a criança teria aprendido uma estratégia. E o atraso, além de previsto pela teoria (adaptação), deve ser cuidadosamente avaliado. No campo da moral ele é plausível e, no campo da lógica, deve ser analisado em função da história de vida dos sujeitos. Esses dados, portanto, mostrariam mais a incompletude da teoria de Piaget do que sua "falsidade".

Qual será, então, o ponto essencial? Aquele sem o qual a arquitetura toda da teoria correria o risco de implodir?

Eu escolheria a hipótese piagetiana, já mencionada quando da resposta à questão da universalidade, segundo a qual *a inteligência caminha para o equilíbrio*:

- é o centro da inspiração biológica de Piaget;
- é a explicação da presença de estruturas mentais (operações reversíveis);
- é o polo em que tomam sentido os conceitos de regulação, compensação, afirmação e negação (estes dois últimos permaneceriam apenas normativos, no interior da lógica formal);
- é a explicação da sequência dos estágios (os de Piaget ou outros que se definam).

E qual seria um dado que levaria a suspeitar da validade da noção de equilíbrio? Certamente não é a precocidade nem o atraso, mas sim o caos. A teoria de Piaget reza que a mente gera organização, ou reconstrói aquela presente na cultura. Ora, imaginemos que encontrássemos situações iguais a estas:

1 uma criança, ou um sujeito qualquer, que demonstre ter noção operatória, mas se mostre pré-operatório em provas de classificação;

2 um sujeito que tenha duradoura falta de compensação entre afirmações e negações em determinados casos, mas não em outros de mesmo nível de abstração;

3 o fato de um método pedagógico, puramente explicativo e baseado exclusivamente em modelos, ser mais eficaz do que outro que deixe o aluno regular suas ações por meio da percepção de seus erros (aqui, seria o próprio mecanismo da equilibração que estaria em xeque).

Apresentei exemplos talvez extremos. Mas o que é importante sublinhar é que qualquer tipo de caos é fator complicador para a teoria construtivista (e para a afirmação da existência de um sujeito epistêmico). De fato, se o processo de construção produzisse o caos, a desordem, seria difícil atribuir tal produção ao próprio sujeito. Melhor seria atribuí-la ao meio. Aliás, é a própria ideia de construção que deixaria de fazer sentido. Por que, por exemplo, as descobertas de Ferreiro são condizentes com a teoria piagetiana? Ora, porque ela encontrou, antes de mais nada, organização que, não sendo tributável ao ensino da alfabetização, é atribuída a uma capacidade do sujeito. Na verdade, a teoria piagetiana é uma teoria da forma, forma essa que deve assimilar os diversos conteúdos. O caos seria a vitória do conteúdo sobre a forma, inconcebível na teoria piagetiana da assimilação e da equilibração.

www.gruposummus.com.br

1 uma criança, ou um sujeito qualquer, que demonstre ter noção operatória, mas se mostre pré-operatório em provas de classificação;

2 um sujeito que tenha duradoura falta de compensação entre afirmações e negações em determinados casos, mas não em outros de mesmo nível de abstração;

3 o fato de um método pedagógico, puramente explicativo e baseado exclusivamente em modelos, ser mais eficaz do que outro que deixe o aluno regular suas ações por meio da percepção de seus erros (aqui, seria o próprio mecanismo da equilibração que estaria em xeque).

Apresentei exemplos talvez extremos. Mas o que é importante sublinhar é que qualquer tipo de caos é fator complicador para a teoria construtivista (e para a afirmação da existência de um sujeito epistêmico). De fato, se o processo de construção produzisse o caos, a desordem, seria difícil atribuir tal produção ao próprio sujeito. Melhor seria atribuí-la ao meio. Aliás, é a própria ideia de construção que deixaria de fazer sentido. Por que, por exemplo, as descobertas de Ferreiro são condizentes com a teoria piagetiana? Ora, porque ela encontrou, antes de mais nada, organização que, não sendo tributável ao ensino da alfabetização, é atribuída a uma capacidade do sujeito. Na verdade, a teoria piagetiana é uma teoria da forma, forma essa que deve assimilar os diversos conteúdos. O caos seria a vitória do conteúdo sobre a forma, inconcebível na teoria piagetiana da assimilação e da equilibração.

www.gruposummus.com.br